Juliette à Barcelone

Catalogage avant publication de Bibliothèque et Archives nationales du Québec et Bibliothèque et Archives Canada

Brasset, Rose-Line, 1961-

Juliette à...

Sommaire: t. 2. Juliette à Barcelone.
Pour les jeunes de 10 ans et plus.

ISBN 978-2-89723-430-0 (vol. 2)

I. Brasset, Rose-Line, 1961-   . Juliette à Barcelone. II. Titre.
III. Titre: Juliette à Barcelone.

PS8603.R368J84 2014   jC843'.6   C2013-942497-0
PS9603.R368J84 2014

Les Éditions Hurtubise bénéficient du soutien financier des institutions suivantes pour leurs activités d'édition:

– Conseil des arts du Canada;
– Gouvernement du Canada par l'entremise du Fonds du livre du Canada (FLC);
– Société de développement des entreprises culturelles du Québec (SODEC);
– Gouvernement du Québec par l'entremise du programme de crédit d'impôt pour l'édition de livres.

Illustration de la couverture: Annabelle Métayer
Illustrations intérieures: Géraldine Charette
Graphisme: René St-Amand
Mise en pages: Martel en-tête

Copyright © 2014, Éditions Hurtubise inc.

ISBN 978-2-89723-430-0 (version imprimée)
ISBN 978-2-89723-431-7 (version numérique PDF)
ISBN 978-2-89723-432-4 (version numérique ePub)

Dépôt légal: 3ᵉ trimestre 2014

Bibliothèque et Archives nationales du Québec
Bibliothèque et Archives Canada

Diffusion-distribution au Canada: Diffusion-distribution en Europe:
Distribution HMH   Librairie du Québec/DNM
1815, avenue De Lorimier   30, rue Gay-Lussac
Montréal (Québec) H2K 3W6   75005 Paris FRANCE
www.distributionhmh.com   www.librairieduquebec.fr

Imprimé au Canada
www.editionshurtubise.com

ROSE-LINE BRASSET

Juliette à Barcelone

Hurtubise

Rose-Line Brasset est journaliste, recherchiste et auteure depuis 1999. Elle détient une maîtrise en études littéraires et a publié plusieurs centaines d'articles dans les meilleurs journaux et magazines canadiens sur des sujets aussi divers que les voyages, la cuisine, la famille, les faits de société, l'histoire, le couple, la santé et l'alimentation. Globe-trotter depuis l'adolescence, elle est aussi l'auteure de *Juliette à New York* et de deux ouvrages édités aux Publications du Québec dans la collection « Aux limites de la mémoire ». Mère de deux enfants, elle partage son temps entre la vie de famille, l'écriture, les voyages, les promenades en forêt avec son labrador, la cuisine et le yoga.

À mes deux enfants, Emmanuel et Laurence,
que j'aime tant.

Samedi 13 décembre

18 H

Je m'appelle Juliette, j'ai treize ans et je déteste mon prénom. Enfin, avouez que Juliette est loin d'être un prénom d'ado *hot*! Ça sonne comme celui d'une matante au visage fripé, fagotée comme un sac d'épicerie et hurlant après son mari. «Roger! Viens souper!» Le fait est que je déteste les prénoms en «ette», ça fait vieux en plus de rimer avec débarbouillette, bobette et mauviette. Comme Étiennette, Gilberte, Arlette et Fleurette, les amies avec lesquelles ma grand-mère joue aux quilles le mercredi. *OMG!* Suis-je vraiment prise avec cette étiqu «ette» pour toute la vie? Il doit sûrement y avoir moyen d'en changer! Étant donné que je dois attendre encore cinq ans avant mes dix-huit ans, mieux vaut ne pas trop y penser. Ma mère, l'excentrique, dit que c'est un prénom «romantique». Comme si quelqu'un lisait encore

Shakespeare de nos jours! C'était surtout le prénom de mon arrière-grand-mère, que je n'ai pas connue. Il paraît qu'elle était encore plus bizarre que ma mère et ma grand-mère! Autant l'avouer tout de suite, les femmes de ma famille sont toutes un peu « spéciales ». C'est le moins qu'on puisse dire. Rien à voir avec la mère de ma copine Gina, qui est très cool et tout à fait normale, ce qui veut dire qu'elle porte du vernis à ongle mauve, des tailleurs Burberry et des bottes achetées chez Little Burgundy, qu'elle va chez le coiffeur plutôt que de se couper les cheveux elle-même et, surtout, qu'elle ne refuse jamais, elle, de nous emmener au centre d'achat, Gina et moi. Mais reprenons depuis le début, je m'appelle Juliette, mais mes copines m'appellent Jules et ma vie est un enfer! Ma mère, je l'aime bien, elle est même plutôt drôle quand elle veut, le problème n'est pas vraiment là, non. Le hic, c'est qu'elle a une propension, disons, catastrophique, à nous mettre dans l'embarras. Quant à mon père, je ne le connais pas, alors…

Aujourd'hui, c'est samedi et, dans moins d'une semaine, maman et moi partons ENCORE en voyage. Cette fois-ci en Catalogne. Non mais, qu'est-ce que ça mange en hiver? Pour l'occasion, ma mère m'a offert un nouveau journal :

Pour y consigner tes pensées secrètes, tes aventures
et peut-être aussi tes désirs et tes rêves, ma chérie.

a-t-elle écrit en première page. Mes aventures, mes rêves. Elle est bien bonne ! Le fait est que, jusqu'à présent, j'ai l'impression que mes propres désirs sont loin de ses préoccupations. Sorte d'aventurière post-hippie, ma mère s'est mis dans la tête, l'année de ses quarante ans, de réaliser tous ses rêves d'enfance avant d'avoir cinquante ans. Oui, oui. TOUS ses rêves à ELLE ! Vous vous rendez compte ? La raison d'être des mères n'est-elle pas de réaliser les rêves de leurs enfants ? Et je ne vous parle pas des conséquences de son attitude… Ma mère est, ou plutôt « était », infirmière. Aujourd'hui, je ne sais plus trop ce qu'elle est. Une sorte d'écrivaine, je suppose. C'est que, du jour au lendemain, elle a quitté l'hôpital où elle travaillait depuis dix ans et a décidé de voyager et d'écrire sur ses sujets préférés. Sur le coup, je n'ai pas trop compris de quoi il s'agissait réellement. J'ai cru qu'elle allait se mettre à couvrir les concerts de rockers des années 1980, les sorties de films russes sous-titrés en espagnol ou encore les défilés de mode de vêtements confectionnés en chanvre indien. J'ai même pensé que ça pourrait être le fun, surtout qu'elle m'avait avertie que je devrais parfois manquer

11

l'école quelques jours. Eh bien, j'ai vite déchanté, croyez-moi! Le fait est qu'elle rédige plutôt des guides de voyage et des articles sur des sujets aussi ennuyeux que les ruines romaines, la cuisine crétoise, les vins californiens ou l'architecture espagnole au XIXe siècle. Son salaire a diminué de moitié, nous avons échangé notre minifourgonnette pour une Yaris, et on se trimbale dorénavant en avion d'un fuseau horaire à l'autre, en passant par des pays, des villes et des régions dont je me rappelle à peine avoir entendu parler dans mes cours de géo! Je vous entends déjà d'ici: « Manquer l'école pour voyager, ça doit être vraiment cool! Chanceuuuse! » Eh ben, détrompez-vous! Pas tant que ça, justement. Au début, ça me semblait pas mal mais, en réalité, ça veut surtout dire: exit les soirées entre copines, les matchs de soccer au gymnase de l'école et les soirées au parc à *skate* pour regarder les prouesses des garçons. Bonjour les valises, les visites de lieux touristiques vieux comme le monde avec, en prime, ma mère tout le temps sur les talons et des tonnes de travaux de rattrapage scolaire au retour à la maison. Un cauchemar, je vous dis!

Enfin, ne parlons plus de ça ce soir. J'ai invité quelques copines pour une soirée pyjama et elles ne devraient pas tarder à arriver. Il y aura bien sûr

Gina, ma meilleure amie, mais aussi Gab et Laura. On va se faire des masques de beauté à la fraise, manger de la pizza, du gâteau au chocolat (avec plein de Smarties sur le glaçage) et s'étendre du vernis mauve foncé sur les ongles d'orteils en regardant des films d'horreur sur DVD. Une soirée comme je les aime! Maman a promis de se faire discrète. Cool! La plupart du temps, le samedi soir, elle me force à aller souper avec elle chez ma grand-mère, qui est végétarienne. Dans le meilleur des cas, on mange des spaghettis garnis d'une sauce au tofu, puis un gâteau aux carottes sucré au jus de pomme pour dessert et un verre de lait de soya pour clore le tout. Une torture!

Dimanche 14 décembre

13 H

Je me traîne dans la maison qui semble trop vide depuis le départ des filles. J'ai une guenille dans la main droite et un seau rempli d'eau chaude dans l'autre. Soupir! Je dé-tes-te les lendemains de party! De son côté, ma mère frotte la cuisine et la salle de bain comme si un troupeau de moutons les avaient dévastées. Sa tendance à l'exagération m'épatera toujours! D'un autre côté, qu'est-ce qu'on a ri hier soir... À tour de rôle, les filles et moi, nous nous sommes filmées en train d'imiter les sœurs Lirette, deux bécasses de quatrième secondaire qui regardent tout le monde de haut parce que leur père, qui travaille chez un concessionnaire d'automobiles de luxe, vient parfois les chercher à l'école en Ferrari. Il fallait voir Gina, un foulard rose sur la tête en guise de perruque, imiter Jade Lirette

15

se tortillant pour extirper ses longues jambes maigres de la voiture de sport en se barbouillant de rouge à lèvres en même temps. J'ai tellement ri que j'ai eu peur que ma rate n'éclate. La soirée s'est bien déroulée dans l'ensemble, mais il y a un hic. À entendre ses confidences, il semblerait que ma copine Gabrielle ait un petit faible pour Gino. MON Gino. Enfin, ce n'est pas qu'il m'appartienne réellement, mais depuis le début de cette année scolaire, il est assis à côté de moi en géo. Il a les cheveux noirs un peu longs dans le cou, il porte un bracelet en cuir noir au poignet droit, il a de super beaux yeux noirs avec de longs cils et un sourire craquant. Il est *full cute* et c'est **MOI** qu'il regarde sans arrêt. En tout cas pendant le cours de géo. Gab aurait dû s'en apercevoir puisqu'elle est assise juste derrière nous! Eh ben, pas du tout, car elle a passé la soirée à raconter comment il avait tout fait pour attirer son attention quand elle l'a rencontré au parc à *skate* la semaine passée. Et qu'il est donc mignon, et patati et patata. Peuh! Comme Gab n'arrêtait pas, Gina s'est mise à faire les yeux ronds dans ma direction, semblant dire: «*OMG!* Pas **TON** Gino!»

Gabrielle a dû s'en apercevoir puisqu'elle m'a demandé:

—Ça ne te dérange pas, j'espère, Jules?

— Bien sûr que non ! ai-je répondu avec l'air de m'en balancer comme de mon premier biberon. Ce n'est pas comme s'il m'appartenait. Et puis, il ne m'intéresse pas vraiment. Si c'était le cas, je vous l'aurais dit depuis longtemps.

Le fait est que j'en ai parlé à Gina récemment, mais pas aux deux autres. Bien que Gino soit loin de me laisser indifférente, il n'est pas question d'ébruiter l'affaire. Gab est super fine, mais elle a une légère tendance à tout le temps se vanter. Quant à Laura, on ne peut pas dire qu'elle soit fiable. Il faut bien l'avouer, elle ne sait pas garder un secret ! Ce qui ne leur enlève pas leurs qualités à toutes les deux. On est copines même si on n'est pas super intimes. Quoi qu'il en soit, plutôt mourir que de leur confier que j'ai justement un peu craqué pour Gino lorsque je l'ai vu déguisé en archer à la soirée costumée donnée par son copain Max pour Halloween. Il ressemblait un peu à Peeta dans *Hunger Games* et mon cœur s'est soudain emballé lorsqu'il m'a proposé de danser. Rien de sérieux cependant. Du moins, je crois. Enfin, j'ai refusé de danser, alors on s'est mis à parler du film et je lui ai dit que je trouvais son costume super cool. J'aime bien discuter avec lui. Ses parents sont originaires d'Argentine et il parle français avec un petit accent vraiment trop *cuuute*.

Maintenant que je suis au secondaire, ma mère m'oblige à m'inscrire au cours d'espagnol. Je ne peux pas dire que j'étais super enthousiaste au début, mais elle dit que c'est la troisième langue la plus parlée dans le monde et que c'est important de l'apprendre. Une autre de ses lubies. Moi qui trouvais déjà l'anglais difficile! Je pourrais peut-être demander à Gino de me donner un petit coup de main pour les devoirs... C'est vrai ça! Ça me fera une raison de le voir en dehors du cours de géo. Enfin, on verra. Il préférera peut-être aider Gabrielle...

15 H

J'ai toujours détesté les dimanches. En général, l'après-midi, il n'y a rien d'autre à faire que des devoirs, on ne peut pas prévoir de sortie en soirée puisqu'il y a l'école le lendemain et, justement, le week-end est terminé et il faut penser à la semaine qui débute. Je voudrais bien chatter avec Gina au sujet de notre devoir de math que je n'ai toujours pas commencé, mais ma mère monopolise l'ordi parce qu'elle prépare l'itinéraire de notre séjour en Espagne. Euh! oui, la Catalogne est bel et bien une région d'Espagne. Je vais manquer la dernière journée d'école avant les vacances de Noël, car on prend l'avion pour Barcelone le 18 au soir. Moi qui rêvais d'un Noël tout blanc avec un sapin au milieu du salon... C'est raté. Comme l'an dernier quand elle nous a forcées à passer les fêtes en Italie. Pouah! Et puis c'est quoi l'idée de me faire manquer l'école alors qu'il n'y avait justement pas de cours prévu vendredi? Il n'y aura que des activités cool et un échange de cadeaux dans ma classe de géo... Je manque toujours les choses les plus intéressantes. C'est frustrant à la fin! Lorsqu'on a procédé au tirage au sort des noms pour l'échange de cadeaux, j'ai été obligée de m'abstenir et c'est Gab qui a pigé Gino! Quand je vous dis que ma vie est un enfer! Je me demande bien quel nom il a pigé, lui, Gino...

17 H

Ma mère a fini par me céder l'ordi pour aller préparer le souper. Ô horreur! Elle prépare un pâté chinois aux lentilles! Sans être végétarienne comme ma grand-mère, maman a une tendance plutôt «granola» en matière de repas. Elle a hérité cela de sa petite enfance lorsqu'elle habitait avec ma grand-mère dans une «commune» au milieu des années 1970. Cela veut dire qu'ils étaient tout un groupe de jeunes à loger avec leurs enfants dans la même maison, à la campagne, qu'ils faisaient pousser des légumes, élevaient leurs propres poules et préparaient les repas tous ensemble. Des fois, je me dis que ça devait être le fun, mais je ne crois pas que j'apprécierais le fait de vivre avec sept autres personnes du genre de ma grand-mère. De plus, il paraît que les hommes portaient les cheveux au milieu du dos, à l'époque. Ouache! Enfin, maman prétend que mieux vaut y aller mollo sur les calories avant de partir parce qu'on fait toujours pas mal d'excès de table en voyage. J'espère que ça veut dire qu'il va y avoir des pâtes à profusion et des tas de pâtisseries en dessert! Elle m'explique que les pâtes c'est italien, mais l'espagnol et l'italien, c'est presque la même chose, non? Moi, ce que je préfère, ce sont les spaghettis à la sauce bolognaise. Avec des boulettes de viande, s'il vous plaît!

Oups! Gina m'appelle sur FaceTime.

—Salut!
—Ça va?
—Oui, toi?
—Bof. Maman a déjà sorti les valises et placé la mienne à côté de mon lit. Ça ne pressait pas, me semble!

—Chanceuse! J'aimerais ça, moi aussi, aller en Espagne.

—Je vais manquer l'échange de cadeaux.

—Il paraît que Gino aussi va le louper, finalement. J'ai entendu dire qu'il va voir ses grands-parents en Argentine.

—C'est pas vrai! L'Argentine, ce n'est pas une province de l'Espagne justement?

—Sais pas... Attends, je vais voir sur Google.

Je tape sur le clavier de mon ordi en même temps qu'elle et je réalise que l'Argentine est tout en bas de l'Amérique du Sud et que l'Espagne est... en Europe. Environ 10 000 kilomètres les séparent. Génial! Quand je dis que ma vie est un enfer! En plus, je vais certainement échouer à mon cours de géo!

Jeudi 18 décembre

16 H

J'ai terminé la journée avec un examen de math aujourd'hui. Pas la moindre idée de la note que je vais avoir. Même pas sûre que ce sera au-dessus de zéro… Je n'ai pas vraiment eu le temps d'étudier parce que j'ai passé la semaine à préparer ma valise en vue de notre départ de tout à l'heure. Faut dire que ces derniers jours ont été plutôt agités. Ma mère avait pas mal de détails de dernière minute à régler et ce n'est pas fini puisqu'elle court dans tous les sens depuis ce matin. Je ne suis pas fâchée d'avoir passé la journée à l'école parce que quand elle est débordée, c'est à moi qu'elle s'en prend généralement.

—Julieeeettttttttte Bérubé!

Ça y est, elle entre dans ma chambre en coup de vent. Quand elle fait suivre mon prénom de notre nom de famille, c'est que ça va barder. Elle a la figure toute rouge et tient à la main une liste de choses à ne pas oublier. Bon sang, qu'elle est stressée! J'espère que je ne deviendrai pas comme cela en vieillissant.

—Quoi?

—Vite, dépêche-toi de boucler ta valise. On part dans une heure. J'espère que tu n'emportes pas trop de vêtements. N'oublie pas que tu devras porter toi-même tes bagages.

J'ai rien à me mettre de toute façon, et puis, ça sert à ça les valises à roulettes, ai-je envie de lui répondre. Mais voyant ses yeux hagards, je préfère m'abstenir.

—Pas de problème, m'man, je serai prête.

Quand elle est stressée, elle explose facilement. Heureusement, il ne me reste que deux, trois choses à glisser dans mes bagages. J'ai amplement le temps. *OMG!* En naviguant sur Facebook, je lis que Julian Beaver doit donner un concert en Espagne pour célébrer la nouvelle année. Il paraît que les Espagnoles sont folles de lui et qu'on attend des milliers de fans la veille du jour de l'An dans un gigantesque stade de Barcelone. *OMG! OMG! OMG!* C'est là qu'on va, à Barcelone, si je ne me trompe pas! Et moi qui n'ai rien à me mettre. Je sens que je vais m'évanouir. Vite ! Il faut que j'essaie deux ou trois trucs de ma garde-robe de l'an dernier, pour juger de mon allure...

17 H

Ma mère hurle depuis dix minutes de me dépêcher parce que ma grand-mère, qui doit nous conduire à l'aéroport, est déjà là. J'ai tenté de lui expliquer que Julian Beaver donnait un concert à Barcelone le 31 décembre au soir et qu'il fallait qu'on s'arrête chez Gina pour que je puisse lui emprunter des affaires, mais elle est sourde comme un pot et crie de plus belle ! Misère ! Je vais avoir l'air d'une pauvresse avec mes vêtements de l'an passé. J'ai mis tout ce que j'avais de potable dans ma valise pour faire des essais en arrivant à l'hôtel, mais je n'arrive plus à la refermer. Je pense que ma mère va s'étouffer à force de crier. Allez, j'y vais. J'espère qu'ils ont des boutiques de mode en Espagne. Gina dit qu'il y a Zara. C'est pas mal, mais pour un concert de Julian Beaver, je ne suis pas du tout certaine que ça suffira.

18 H

C'est la course dans les couloirs de l'aéroport. On dirait que maman a peur que l'avion ne décolle sans nous, alors que notre vol est prévu pour 20 h. Du calme, on respire… Aïe, attends-moooooi !

20 H

OMG ! J'ai mal au cœur. Dans l'énervement, j'ai oublié de prendre le Gravol que maman m'a donné. Il est resté dans mon bagage à main, maintenant rangé au-dessus de ma tête, et de toute façon nous n'avons pas de bouteille d'eau. J'ai demandé à maman d'en réclamer à l'hôtesse, mais elle dit qu'il faut attendre que l'avion ait décollé. J'ai le temps de vomir cent fois avant qu'elles ne réagissent. Et puis, ce n'est pas que j'aie peur de l'avion, mais le décollage ne me plaît pas beaucoup… Le mieux serait de dormir, mais ce n'est pas facile dans ce siège. En attendant, j'ai de plus en plus mal au cœur. Mamaann !

Vendredi 19 décembre

1 H DU MATIN

Je n'arrive toujours pas à dormir, mais le mal de cœur est passé. À côté de moi, maman dort la bouche ouverte. Dommage que l'appareil photo soit resté dans son sac, sous le siège devant elle… J'espère surtout qu'elle pourra nous trouver des billets pour le spectacle de Julian ! D'habitude, elle est géniale pour ce genre de choses. C'est sûr qu'aller au concert avec sa mère, c'est un peu poche. J'aurais tant aimé qu'on puisse emmener Gina. Elle va me manquer. Je me demande ce que fait Gino en ce moment. Il est sans doute déjà en route vers l'Argentine. J'espère que l'emploi du temps de maman me permettra de souffler un peu quand on sera arrivées. Les musées et les vieilles baraques ne m'intéressent pas trop… Si seulement le bonhomme assis dans la rangée juste devant moi pouvait arrêter de ronfler, je pourrais dormir un peu !

9 H

L'avion vient d'atterrir. Il est 3 h du matin au Québec mais déjà 9 h ici. Je rigole tout bas en voyant la frimousse de ma mère. Ça vaut un million ! Ses cheveux frisés sont tout tapés d'un seul côté et elle a le regard hagard de quelqu'un qui n'a pas assez dormi. La journée va être longue… Au comptoir des douanes, l'employé perd un temps fou à examiner nos passeports d'un air suspicieux. Il regarde longuement maman, puis la photo de son passeport, puis encore maman, et semble de plus en plus perplexe. Mais qu'est-ce qu'il croit ? Qu'elle travaille pour la CIA ? Sans sourire, il lui demande son nom en anglais. « Marianne Bérubé », répond-elle de son ton le plus charmeur. De nouveau, il regarde longuement son passeport. Il croit sans doute que ma mère est une sorte de « Jane » Bond venue espionner leurs secrets d'État ? À cette pensée, je pouffe de rire. Le douanier me jette un regard furieux, mais finit par nous remettre nos papiers. Ouf, il l'a échappé belle ! Quand maman s'impatiente, ce n'est pas beau à voir. ☺

9 H 15

Wow! Il fait drôlement beau à Barcelone. L'air est agréablement doux et le soleil tape. Ça nous change du moins cinq degrés qu'il faisait en partant de chez nous. Il y a foule aussi. On n'arrive pas à trouver un taxi… Ma mère agite la main dans tous les sens en criant «TAXIIIIIIIIII, ¡ por favor! », mais sans succès. Moi, j'ai faim. Tiens, en voilà un qui semble libre.

—Fonce! crie ma mère.

Facile à dire quand on porte un sac sur le dos et qu'on tire une valise à roulettes pesant au minimum mille livres!

11 H

À notre arrivée à l'hôtel, la chambre n'est pas encore prête, alors nous laissons les bagages à la réception et décidons d'aller faire un tour dans les environs. Re-wow! Tout est tellement différent ici! Les maisons, les rues, les voitures, les gens! Maman est si fatiguée qu'on dirait un zombie. Malgré tout, elle est contente d'être là et s'émerveille de tout, comme une enfant. Elle arpente les trottoirs, le nez en l'air, en répétant constamment: «Oh wow! T'as vu ça? Oh wow! Oh wow, regarde! Wow! » À mourir de rire!

Parlant de trottoirs, c'est justement ce qui me saute aux yeux en premier. Ils sont aussi larges que des rues! Notre hôtel, le Peninsular, est situé dans la vieille ville, tout près de la Plaça de Catalunya, le centre névralgique de Barcelone, d'après maman. C'est là que se trouve l'office du tourisme, avec lequel elle travaillera pendant les prochains jours et, surtout, il s'agit du point de départ du métro et de la plupart des bus qui sillonnent la ville. J'en prends bonne note. C'est vrai, quoi! Je ne vais tout de même pas passer mes journées à la suivre comme un chien de poche. Du moins, j'espère...

La place est immense et très belle avec des fleurs partout et une fontaine au centre. Je m'assieds un moment au bord du bassin pendant que ma mère va dire bonjour aux gens de l'office du tourisme. Sitôt qu'elle a passé la porte, deux gars de mon âge à peu près, plutôt beaux garçons en vérité, s'approchent en souriant. Ne sachant plus où me mettre, je rougis comme une tomate lorsque le plus grand m'adresse la parole.

—*Bon dia. ¿Com et dius?*

C'est de l'espagnol, ça? En tout cas, ça ne ressemble en rien à ce que j'ai appris dans le cours d'Odette Larouche, ma prof. Me semblait aussi qu'elle n'avait pas le bon accent! La bouche ouverte, je n'arrive pas à sortir une syllabe. Je dois avoir l'air complètement déficiente puisqu'il éclate de rire avant de poursuivre.

— *¿ Qué tal ? Me llamo Manuel. ¿ Y tú, cómo te llamas ?*

Mon cerveau prend quelques secondes pour enregistrer la phrase et l'interpréter. Ah ! Cette fois j'ai compris. Ça, c'est de l'espagnol. Il s'appelle Manuel et me demande mon nom. Il est encore plus mignon de près. Je note au passage que ses cheveux châtains sont joliment bouclés et qu'il a les yeux bleus. Je rougis de plus belle et baisse les yeux pour répondre.

— *Me llamo*, euh, *Julietta…*

Ben quoi ? Je n'étais quand même pas pour dire « Jules » !

— Ah ! Tou es Française ? rétorque-t-il en français avec un très joli accent.

— Non, Québécoise, je veux dire, euh, Canadienne.

Comment il a fait pour deviner que le français est ma langue maternelle puisque je lui ai répondu en espagnol ?

— *¿ Canadiense ? ¡ Que bueno !* intervient son ami en me tendant la main. *Me llamo Miguel.* Wow ! C'est très loin lé Canada !

— Euh !

C'est le moment que choisit ma mère pour m'appeler.

—Juliette? Viens ici, s'il te plaît!

—J'arrive!

Plantant là les deux garçons, je tourne les talons et m'enfuis sans demander mon reste. Heureusement que je ne reverrai jamais ces gars-là, parce qu'ils doivent penser que je suis complètement débile!

—¡ Hasta luego, Julietta !

L'œil moqueur et le sourire fendu jusqu'aux oreilles, ils me saluent de la main alors que je pousse à grand-peine la lourde porte de l'office du tourisme. Ouf!

Ma mère est en compagnie d'une jolie dame à la longue chevelure noire.

—Ah! Juliette. Entre, ma chérie, que je te présente. Luz, voici Juliette, ma fille.

—Enchantée, Juliette, répond la dame dont le français est impeccable et qui me sourit gentiment. Je m'appelle Luz Vargas et je suis très heureuse de faire ta connaissance. Alors, que penses-tu de Barcelone?

—Ça me semble cool, mais je n'ai pas eu le temps de voir grand-chose encore.

Je rougis de nouveau et baisse les yeux. Décidément, c'est la journée des questions à cent piastres.

J'espère qu'elle ne va plus rien me demander parce que j'ai horreur que l'on me questionne sur des sujets auxquels il n'y a rien à répondre. On vient juste d'arriver, mes cheveux n'ont pas vu le fer plat depuis vingt-quatre heures, je ne me suis pas brossé les dents, j'ai probablement des cernes de deux pouces sous les yeux et je viens de me ridiculiser devant les deux plus beaux gars de la ville. Ça va être correct pour aujourd'hui, je pense! Heureusement, maman vient à mon secours.

—Madame Vargas sera notre guide ici, à Barcelone, pendant les prochains jours.

—Oh! C'est bien.

S'adressant à la dame:

—Nous allons poursuivre notre petit tour de reconnaissance. Nous vous retrouvons à l'hôtel ce soir avant de sortir pour souper?

—Absolument! Ce sera un plaisir.

Aaaah! Non! Je ne veux pas déjà partir. Je n'ai pas du tout envie de me retrouver nez à nez avec les deux gars de tout à l'heure! Je fais subitement semblant de follement m'intéresser aux dépliants touristiques sur le présentoir à ma droite.

—À ce soir, alors! répond ma mère avant de m'entraîner vers la sortie en me tirant par le bras.

Une fois à l'extérieur, j'ai beau me dévisser la tête, il n'y a plus la moindre trace des deux garçons de tout à l'heure. Dommage! Non mais qu'est-ce que je dis là, moi?

Nous quittons la Plaça de Catalunya, pour aller marcher sur la Rambla, la rue principale de la ville.

—Il s'agit de la plus célèbre avenue d'Espagne, m'explique maman. Elle commence Plaça de Catalunya, d'où nous venons, et descend jusqu'à la mer puisque Barcelone est un grand port en plus d'être la capitale de la Catalogne!

—Ah! Est-ce que qu'il y a une plage aussi?

—Bien sûr! Lors des Jeux olympiques d'été de 1992, quatre kilomètres de plage ont été aménagés juste à côté du port.

—*YESSSSSSSS!*

En descendant la Rambla, nous passons devant une multitude de cafés, de petits kiosques à journaux et de marchands de fleurs. Barcelone s'est habillée pour les fêtes. Il y a des décorations colorées partout et je me tords le cou pour les admirer. Par contre, j'ai beau tendre l'oreille, je ne comprends rien à ce que j'entends.

—Normal, m'explique ma mère, car la langue officielle de la Catalogne n'est pas l'espagnol mais bien le catalan.

—Le quoi?

—Il s'agit d'une langue romane issue en droite ligne du latin et très proche du provençal, une sorte d'ancien français parlé en Provence. Mais ne t'en fais pas. La plupart des gens parlent aussi l'espagnol, qu'on appelle d'ailleurs ici le castillan. Tu vas donc pouvoir le pratiquer.

Elle ajoute cette dernière phrase en souriant. Eh ben, dis donc! C'est pour ça que depuis le début de la journée, j'ai beau me concentrer, je n'arrive pas à saisir un traître mot de ce qui se dit. Et c'est aussi pour ça que je n'ai tout d'abord rien compris aux paroles de Manuel. Manoueeeel! Le « u » n'existe pas en espagnol, mais c'est drôlement *cute* Manoueeeel comme prénom, non ? ☺

13 H

Je meurs de faim. Maman propose de manger à une jolie terrasse dont le menu affiché me semble incompréhensible. Je regarde autour de nous. On n'a pas vraiment le choix parce qu'il n'y a pas de Subway ni de Tim Hortons en vue… Nous nous asseyons sous un parasol et un serveur nous apporte la carte. Elle est rédigée en catalan et en espagnol. J'arrive à lire certains mots en catalan, mais je ne trouve pas le moindre truc sur la carte qui ressemble de près ou de loin à des spaghettis à la sauce bolognaise… Ma mère nous commande du *gazpacho*, une sorte de potage aux tomates qui

35

se mange froid, et des *tapas*, un genre de hors-d'œuvre ou de petites bouchées. Elle passe la commande en espagnol et le serveur semble réellement la comprendre. Je savais qu'elle avait appris la langue à l'âge de dix-huit ans, lors d'un voyage de trois mois en Amérique du Sud, mais je ne croyais pas qu'elle arriverait à le parler encore. Je suis muette d'admiration. Des fois, maman m'impressionne vraiment et je suis fière d'elle! Je le suis moins lorsque notre commande arrive. Le *gazpacho* est si épicé que je m'étouffe à la première cuillérée. Quant aux *tapas*, il s'agit essentiellement de morceaux de poissons: beignets de morue, rondelles de calmar frites, sardines et escargots à la sauce épicée. Beurk! Heureusement, il y a aussi du pain à la tomate – très bon – et des rondelles de saucisson. Hum! délicieux. Ou plutôt *delicioso*, comme ils disent...

Notre repas terminé, j'aimerais bien pousser la promenade jusqu'à la mer, mais ma mère prétend qu'elle est trop fatiguée.

— On ira plus tard cette semaine, promet-elle.

C'est ça! Si elle a le temps, évidemment... Je vous jure, ce séjour à Barcelone promet d'être ennuyeux à souhait!

En chemin pour retourner à l'hôtel, on flâne encore un peu dans les petites rues entourant la

Rambla. La vieille ville s'appelle la Ciutat Vella, en catalan. Il paraît que c'est l'un des centres-villes médiévaux parmi les plus beaux de toute l'Europe. Rien que des vieilles bâtisses, en effet... L'une d'elles est particulièrement originale et semble tout droit sortie du décor d'un film de Tim Burton, comme *Charlie et la chocolaterie*. Cool ! C'est le Palau Güell, « la première œuvre majeure d'Antoni Gaudí », annonce ma mère de son ton le plus admiratif, une larme au coin de l'œil. Je lève les yeux au ciel. (Ça y est, ça commence !) Quand elle est émue, ma mère a tout de suite la larme à l'œil. Et elle l'a particulièrement souvent depuis qu'elle a pris la résolution de faire le tour du monde ! À moins que ce ne soit parce qu'à quarante ans, elle approche de la ménopause... Quoi qu'il en soit, ça m'énerve parce que j'ai toujours peur qu'elle attire l'attention.

Je me souviens d'avoir vu un livre sur Gaudí à la bibliothèque de l'école. Il s'agit d'un célèbre architecte de la fin du XIXe siècle, particulièrement excentrique pour son époque et dont les créations sont encore plus colorées que les décors de Disney. Une sorte de vieil original, quoi ! En tout cas, la maison n'est pas mal. Dire qu'une famille a déjà habité là ! C'est un musée maintenant, m'a dit maman. Avec ses détails de fer forgé pareils à de la dentelle un peu partout et ses dizaines de cheminées, la maison ressemble beaucoup plus à un palais ou à un palace, comme le suggère son nom, qu'à une résidence privée. Il paraît qu'on peut la visiter. Ça me plairait bien, mais pas aujourd'hui.

J'ai beau tourner la tête de tous les côtés, je ne vois pas la moindre boutique à la mode où me dénicher de quoi m'habiller en prévision du spectacle de Julian Beaver. Ça, c'est un problème grave. Pour le moment, je ne vois rien d'autre à l'horizon que des vieilles pierres, des terrasses et des musées. Des heures de plaisir en perspective ! Ma mère, elle, paraît ravie. Moi, je ne serais pas fâchée de retrouver ma valise et de voir s'il y a une connexion Internet Wi-Fi dans notre chambre.

— Dis, maman, tu crois que tu pourras nous avoir des billets pour le spectacle de Julian Beaver ?

— On verra cela plus tard, chérie.

— Tu crois qu'on pourra aller magasiner pour m'acheter quelque chose de portable pour le show ?

— Tu as des tas de jolies choses dans ta valise, poussinette.

— Maman, on parle de J-u-l-i-a-n-B-e-a-v-e-r, là, pas d'une soirée dans le gymnase de l'école.

— On verra, ma choupinette, mais pas aujourd'hui.

Pas aujourd'hui! Décidément, ma mère n'a aucun sens des priorités. Et puis, ça veut dire quoi « on verra »? N'importe quoi! Je déteste quand elle me parle comme si j'avais encore quatre ans.

16 H

Pour rejoindre notre hôtel, nous revenons en direction de la Plaça de Catalunya et quittons la Rambla pour prendre, à gauche, la Carrer de Sant Pau jusqu'au numéro 34. Paraît que *carrer* veut dire « rue », en catalan évidemment. Le bâtiment dans lequel est situé l'hôtel Peninsular est plus simple que chic, mais très joli.

—C'est un ancien couvent converti en hôtel depuis 1876, m'apprend ma mère, et les chambres occupées aujourd'hui par les touristes étaient autrefois celles des moines. Il paraît qu'il existait à l'époque un tunnel souterrain secret qui allait du couvent jusqu'à l'église de Sant Agustí, située dans la rue voisine. On croit rêver, non?

Tu parles, Charles! Je ne savais même pas qu'il existait déjà des hôtels en 1876. Et s'il y avait un trésor caché dans ce tunnel?

Située au rez-de-chaussée, notre chambre, simple mais très jolie, est à l'autre bout de la cour intérieure sur laquelle débouche le comptoir de la réception. Toutes les fenêtres donnent d'ailleurs sur cette petite cour décorée de carreaux de céramique colorée et de plantes en pot. C'est super dépaysant. Chouette, il y a une vieille cheminée entre nos deux lits! Elle ne semble pas être utilisable puisque le fond est tapissé de vieilles planches. Drôle d'idée! Je me sens soudain bien loin de chez nous, mais j'aime plutôt ça. Même si je voulais rentrer à la maison ce soir, ce serait tout à fait impossible. On est trop loin. Je me demande bien ce que font Gina et Gino...

18 H

Assise en tailleur sur mon lit, je prends mes messages sur l'ordi de ma mère pendant qu'elle est sous la douche. Comme il est six heures plus tôt au Québec, Gina n'est toujours pas rentrée de l'école, mais je vois qu'elle m'a envoyé un message sur Facebook hier soir. Je m'empresse de l'ouvrir. «Bon voyage!» dit le message. Génial! J'ai fait sept heures d'avion pour ne trouver que cela à l'arrivée. À la réception de l'hôtel, il y avait par contre une grande enveloppe pour ma mère. Il s'agit d'un mot de la directrice de l'office du tourisme de Barcelone, madame Luz Vargas, nous souhaitant la bienvenue, accompagné d'une trentaine de dépliants dépeignant les principales attractions touristiques de la ville. Ma mère et moi sommes toutes les deux crevées et je rêve d'aller au lit de bonne heure.

—À quelle heure madame Vargas doit-elle passer nous prendre pour aller souper?

—À 21 h.

—Quoi?

—Oui, en Espagne, on soupe généralement autour de 22 h ou 23 h, mais je lui ai dit que nous étions fatiguées à cause du voyage et que nous n'avions pas vraiment dormi la nuit dernière.

Misère! Ce n'est pas comme ça que je vais me débarrasser des cernes que j'ai sous les yeux, moi! Il faut dire que d'après un article que j'ai lu sur le Web, le meilleur moyen de combattre le décalage horaire, c'est justement de ne pas aller dormir trop tôt le premier soir. Pendant qu'elle tape ses premières impressions en vue des articles qu'elle doit écrire, maman me propose de regarder la télé en l'attendant. Quelle drôle d'idée! Il n'est absolument pas question que je perde ma première journée à Barcelone à regarder la télé dans une langue que je ne comprends même pas! Je demande la permission de sortir explorer les alentours, histoire de voir s'il y a des boutiques de vêtements dans le coin, mais je me bute à un refus catégorique. Et je dois me taper un sermon interminable sur les

centaines, voire les milliers de jeunes filles impru-
dentes qui disparaissent chaque année dans l'une
ou l'autre des capitales européennes, et patati, et
patata... Qu'est-ce qu'elle peut m'énerver ma mère
des fois! Finalement, je pense que je vais plutôt
prendre une douche, moi aussi, et faire une petite
sieste jusqu'à l'heure du souper.

20 H 30

Maman me secoue pour me réveiller. Pitié!
Mon corps tout entier réclame le sommeil. Tout ce
que je veux, c'est d-o-r-m-i-r!

— Juliette, il faut t'habiller pour souper.

— Hein? Quoi?

— Lève-toi, on nous attend.

— Encore cinq minutes, s'il te plaît. J'ai rien à
me mettre de toute façon...

— Julieeette!

J'enfile à la hâte les mêmes vêtements que je
portais à l'arrivée. Heureusement qu'il n'y aura
personne de mon âge à ce souper parce que le
miroir me renvoie l'image d'une fille un peu à plat.

Nous sortons dans le hall pour y attendre Luz Vargas. Surprise, elle y est déjà, accompagnée d'une fille qui lui ressemble comme une jumelle… avec vingt ans de moins.

—Ah, bonsoir, Marianne et Juliette! Je vous présente ma fille, Susannah.

La fille a les mêmes cheveux noirs que sa mère. Elle est minuscule et me dévisage en souriant timidement sans dire un mot. Je fais de même. Sa mère poursuit en regardant la mienne:

—Comme les écoles sont fermées pour les vacances de Noël, j'ai pensé que Susannah pourrait tenir compagnie à Juliette pendant que vous travaillez.

—Quelle bonne idée, répond ma mère en se tournant vers moi.

Eh ben voilà! Je viens d'hériter d'une baby-sitter! Super!

—Julieeette! Que t'ai-je dit au sujet de cette mauvaise habitude de lever les yeux au ciel quand je te parle?

Samedi 20 décembre

3 H

Flûte, je n'arrive pas à fermer l'œil. L'effet du décalage horaire, dirait ma mère qui dort comme une bûche et ronfle même un peu. Je me demande ce que les deux Catalans-super-mignons de la Plaça de Catalunya ont pensé de moi ? J'aurais peut-être finalement dû éviter de dormir cet après-midi parce que là je me sens en pleine forme... La soirée avec Susannah et sa mère s'est finalement avérée bien moins assommante que je ne l'avais imaginé au premier abord. En fait, c'était plutôt cool. L'adolescente ne se débrouille pas trop mal en français – elle l'apprend à l'école – et avec les cent mots d'espagnol que j'ai appris dans le cours d'Odette Larouche et le langage des signes, on s'en est pas mal tirées. Au début, on osait à peine se regarder. Susannah est encore plus timide que moi, alors j'ai fini par me décider à briser la glace.

Elle portait une jupe noire hyper courte avec des bottes de suède beige qui lui arrivaient à mi-mollet et un pull doré à paillettes. GÉ-NI-AL.

— Super cool, ton look ! lui ai-je dit.

Elle a compris parce qu'elle a souri et a répondu en français qu'elle aimait bien aussi le mien. Je portais le t-shirt avec un requin que maman m'a acheté à l'aquarium de San Diego l'an dernier. Ça a eu l'air de l'impressionner. Pendant que ma mère et la sienne faisaient des plans pour le week-end, Susannah en a profité pour m'inviter à un super party demain soir.

— Il y aura une vingtaine de jeunes de notre âge. Des filles et aussi des garçons. Ils seront contents de faire ta connaissance.

J'ai hâte, mais en même temps je n'ai pas trop envie. C'est gênant d'être la seule qui ne connaît personne et puis je n'ai évidemment rien à me mettre ! Vite, il faut que je dorme si je ne veux pas avoir l'air d'un zombie à cette soirée ! D'autant plus que c'est aujourd'hui puisqu'il est largement passé minuit. Susannah a laissé entendre qu'il y aurait sûrement des beaux gars. *Yessssssss !* Enfin, je veux dire, c'est sûr que là, ça devient quand même un peu intéressant…

Toujours incapable de dormir. Tant pis, j'attrape l'ordi portable de ma mère en faisant bien attention de ne pas la réveiller et je l'ouvre sous le couvre-lit pour ne pas faire de lumière. Il est 22 h au Québec. Je jette un œil sur Facebook. Peut-être que Gina est en ligne, à moins que...

Gino : Eille ! c'est toi ?

Moi : Ouais ! Salut !

Gino : Pis, le voyage ?

Moi : C'était super long, mais là, on est à l'hôtel et il est 4 h du matin. Je ne peux pas dormir à cause du décalage horaire. Et toi ? T'es où ?

Gino : À Buenos Aires. Chez mon grand-père. On vient d'arriver et il y a une fête. Il y a beaucoup de monde. Tous mes oncles et tantes, plus une trentaine de cousins et de cousines qui parlent tous en même temps. Je me suis installé dans le bureau de mon oncle Jorge pour être seul un moment. J'ai un peu de mal à les comprendre tous. On dirait qu'on ne parle pas le même espagnol...

Moi : C'est *full* bizarre !

Gino : Et toi ? C'est comment l'Espagne ?

Moi : Cool ! Du moins jusqu'à présent. Mais tu sais quoi ? On est en Catalogne et les gens ici parlent catalan. Je ne savais pas que tous les Espagnols ne parlent pas espagnol. Enfin, que certains parlent espagnol ET une autre langue. En tout cas, en Catalogne. Ce n'est pas évident de comprendre quelque chose. Déjà que je ne suis pas la meilleure en espagnol...

Gino : Tu vas l'apprendre, ne t'en fais pas. Moi, j'ai bien appris le français. Et puis, t'es intelligente, Jules !

Moi : T'es gentil.

(Est-ce normal que je rougisse alors qu'on est à des centaines de kilomètres de distance ?)

Gino : Au Canada c'est pareil. Il y a des Canadiens anglais et des Canadiens français, non ?

Moi : C'est vrai. Je n'y avais jamais pensé. Vous allez faire quoi pour Noël, là où tu es ?

Gino : On va avoir un grand repas de famille et ce sera très cool. On s'amuse toujours beaucoup dans ce genre de truc. On chante et on danse. Et toi ?

Moi : Bof ! On sera, ma mère et moi, toutes seules, comme d'hab...

Gino : Essaie d'en profiter. Joyeux Noël, Jules !

Moi : Joyeux Noël, Gi !

7 H 30

Je me suis endormie autour de 5 h du matin, et le bruit de ma mère s'agitant dans la salle de bain vient de me réveiller à l'instant, au beau milieu d'un rêve où je prenais le repas de Noël en compagnie de Gino et des innombrables membres de sa famille. Pitié ! Je veux dormir.

— Il faut te lever, Juliette.

— Pffffffffff !

— Juliette ! Je suis sérieuse.

J'ouvre péniblement l'œil droit et remue le gros orteil gauche à contrecœur.

— C'est quoi le programme de la journée ?

— J'ai une foule de visites à effectuer pour mon livre, dont des églises et des musées, mon cœur. Comme je sais que ce n'est pas ton fort, je me suis arrangée avec Luz pour que Susannah vienne te chercher et t'emmène voir la mer après le petit déjeuner. Tiens, voilà de l'argent de poche en euros pour la durée de notre séjour.

Elle est déjà tout habillée, maquillée et me tend une liasse de billets. Je me lève d'un bond et compte cent euros! Près de cent soixante dollars. Wow! C'est vrai qu'elle peut être super fine ma mère quand elle veut! ☺

— Cool!

— Ne dépense pas tout d'un coup, hein!

— T'inquiète pas.

Je m'habille en vitesse. On prend le petit déjeuner ensemble dans la jolie cour intérieure de l'hôtel, puis je retourne seule dans notre chambre pour me préparer pour de bon parce que Susannah sera devant la porte de l'hôtel à 10 h.

9 H 59

Je suis prête pour la plage! À moi la mer, le sable blanc et un bronzage d'enfer! Je cours vite rejoindre ma nouvelle copine.

10 H

Merde, mais on gèle aujourd'hui! Le vent s'est levé et il fait frette en titi. Avec mon bikini sous ma p'tite robe à motifs aztèques, j'ai l'impression d'avoir soudain été transportée en Arctique! Moi qui croyais qu'on irait se baigner...

—C'est l'hiver ici en cé moment, m'explique mon amie, qui semble me trouver bien drôle. Il né fait pas froid au Québec ?

—Ben oui, mais je croyais qu'on était dans le Sud ici !

Elle rit.

—Oublie la plage, jé t'emmène dans lé vieux port.

Enveloppée dans une doudoune matelassée très classe, noire et lustrée, avec des bottes à talon de la même couleur, elle regarde ma p'tite robe d'un air compatissant. Combien de paires de bottes cette fille peut-elle bien posséder ?

—Si tou as bésoin de vêtements, jé pourrais t'en prêter, ajoute-t-elle, mais jé crois qu'il vaut mieux té changer en attendant. Et pouis, il y a des tas de boutiques branchées là-bas. Tou trouveras peut-être quelque chose.

En espagnol, les sons « e » et « u » n'existent pas, alors Susannah n'arrive pas du tout à les prononcer et les remplace systématiquement par des « é » ou des « ou » en plus de rouler fortement les « r ». C'est très charmant et en même temps très drôle, alors je me moque gentiment.

—Souperrr ! J'ai justement besoin d'une nouvelle tenue pour ce soir.

Nous rebroussons chemin et retournons à la chambre. Là, je noue en queue de cheval mes cheveux soigneusement lissés au fer plat, j'enfile le chandail *v-neck* en cachemire que ma mère m'a offert pour Noël l'an dernier sur mon jeans préféré et j'attrape ma veste en cuir. À nous les boutiques branchées !

Le vieux port – ou Port Vell, en catalan – n'est qu'à une vingtaine de minutes à pied, m'apprend Susannah. En sortant de l'hôtel, nous marchons tranquillement vers la Rambla. Il y a un million de choses à voir. Je quitte le trottoir un tout petit moment pour aller admirer la façade d'une maison ornée d'un balcon en fer forgé – tout ce qu'il y a de plus mignon et romantique avec des millions de pots de fleurs en céramique, les pots, pas les fleurs – lorsque, en tournant au coin de la rue, je suis presque renversée par un hurluberlu qui me frôle de tout près avec son scooter en klaxonnant frénétiquement. Le cœur battant, j'ai à peine le temps de l'apercevoir en regagnant le trottoir.

— ¡ *Dios mio, Julietta* ! s'exclame Susannah en me rejoignant. *¿ Estás bien ?*

Je la rassure en souriant et articule à grand-peine :

— ¡ *Si, si* !

C'est bien moi, ça. Toujours dans la lune. Mais il n'a pas été très poli avec son klaxon, celui-là ! J'ai sans doute rêvé, mais il m'a semblé reconnaître Manuel, le gars de la Plaça de Catalunya, dans le rôle du conducteur fou furieux…

—Tou as vou qui c'était ?

—Pas du tout. Quel malade !

Nous passons la matinée à déambuler dans Port Vell. Susannah et moi ne devons pas avoir la

même définition de ce qu'est une boutique bran-
chée parce qu'il n'y a pas de danger que je trouve
quoi que ce soit à me mettre pour la soirée de
Julian Beaver avec l'argent que ma mère m'a
donné. Il y a la marina, très chic, avec de gigan-
tesques paquebots et des yachts tout blancs – au
fait, il a un yacht, Julian ? –, de très chics restaurants et des boutiques de luxe, mais tout est hors
de prix et rien ne correspond à un budget ado. Je
ne vois pas comment je pourrais me payer quelque
chose ici, même avec mes cent euros. C'est déses-
pérant ! L'avantage d'avoir l'occasion de se promener dans un endroit pareil, par contre, c'est que la
foule est probablement truffée de célébrités en
vacances, comme Zac Efron, Bruno Mars, Emma
Watson, Beyoncé ou Rihanna ! Ce n'est pas que je
sois fan de ceux-là, ils sont un peu trop vieux, mais
ce serait quand même amusant de les voir en
personne. Et puis ça me ferait quelque chose à
raconter à Gina. Je scrute avec attention les
visages autour de moi. La majorité des gens
portent des lunettes de soleil qui leur couvrent la
moitié du visage. Pas grave, je suis hyper efficace
quand il s'agit de reconnaître Julian Beaver, par
exemple. Un moment, j'ai justement l'impression
de voir sa copine actuelle, assise à une terrasse,
une chaise vide devant elle. Je m'approche pour

examiner le menu, bien décidée à m'installer à la table à côté. Quoi ? Vingt-cinq euros pour une tasse de chocolat chaud ? C'est malade ! Les tasses sont en or ou quoi ? Heureusement, la fille enlève ses lunettes et je réalise qu'il ne s'agit pas du tout de la copine de Julian. On s'emmerde un peu ici finalement. D'un commun accord, Susannah et moi décidons donc de retourner au centre-ville et ma nouvelle copine m'invite chez elle. *Chill*, j'ai hâte de voir sa chambre ! Pour aller plus vite, nous prenons le métro à la station Barceloneta jusqu'au Passeig de Gràcia – *passeig* signifie « promenade » en catalan, me dit Susannah : c'est dans ce quartier chic qu'elle habite. Cool !

13 H

La maison de mon amie est très différente de la mienne. Il s'agit en fait d'un appartement, mais formidablement grand. Situé au sixième étage, il occupe tout un coin d'immeuble et j'y compte pas moins de six balcons ! Susannah me raconte que ses parents l'ont hérité de ses grands-parents paternels. La cuisine est super moderne, avec de l'inox partout, et il y a une gigantesque salle à manger et un bureau dont trois murs sont couverts de livres du plancher au plafond. Son père est avocat, m'apprend ma copine, et il est rarement à la maison. J'apprécie particulièrement qu'elle ne me pose aucune question concernant le mien... En revanche, j'ai la surprise de constater qu'une gouvernante habite avec eux et loge dans une chambre mansardée au-dessus de la cuisine. Pendant que Dolores – c'est le nom de la gouvernante – nous prépare des sandwichs au jambon, nous filons dans la chambre de Susannah pour regarder les derniers clips de Julian Beaver, de Katy Perry et de Flo Rida. Wow! Cette chambre est presque aussi grande qu'un terrain de football. Je me sens euphorique et très *jet set* tout à coup. C'est cool d'avoir une copine comme Susannah à Barcelone. Elle me fait aussi découvrir des artistes qui chantent en espagnol comme Juan Magan, Pablo Alboran et Alejandro Sanz. Super *hot*! Mon préféré est Juan Magan, j'aime trop ses chansons, mais le plus mignon est Alejandro Sanz et lorsqu'il chante *Se lo dices tú*... Ahhhhh! c'est tellement romantico-sentimental! Rien à voir avec les chanteurs québécois que je connais... Je copie les meilleures tounes sur mon iPod touch en me disant que ce sera génial de les faire découvrir à Gina en rentrant chez moi. Dommage que je ne comprenne rien aux paroles! Mais Gino saura, lui... En attendant, je profite de chaque moment.

Je quitte Susannah pour rentrer à l'hôtel. J'y ai rendez-vous avec ma mère pour souper. Une fois dans la rue, je me sens super débrouillarde de marcher ainsi toute seule dans Barcelone, sans chaperon. Maman avait fait promettre à Susannah de me raccompagner, mais nous n'avons pas besoin de lui en parler... Ma nouvelle amie dit qu'il s'agit d'un quartier particulièrement sûr. Eixample – c'est le nom du quartier – n'est de toute façon qu'à quelques minutes à pied au nord de la Plaça de Catalunya. J'en ai pour dix ou quinze minutes, gros max. Dire que nous sommes le 21 décembre et que je suis ici au lieu de patauger dans la *slush*! Trop génial!

Et puis soudain qui est-ce que je croise? Enfin, je ne le croise pas vraiment parce qu'il est de l'autre côté de la rue, les fesses appuyées sur son scooter, un carnet de croquis et un crayon à la main. Eh ben oui! Ça ressemble pas mal à Manuel, le gars d'hier (le plus beau des deux)... et au scooter de ce matin! Le garçon est seul et il semble occupé à... dessiner. Merde, il regarde par ici!

Pas étonnant puisqu'il dessine la maison tout en courbes devant laquelle je m'apprêtais justement à passer, le numéro 92 de Passeig de Gràcia.

Drôle de baraque! On dirait un château sous-marin parce que les balcons sont en forme de vagues! En tout cas, pas mal de monde se presse à l'entrée. Ça doit être un musée ou quelque chose du genre.

—*Hola, ¿ qué tal?*

Je tourne la tête, m'efforçant de prendre l'air surpris de celle qui ne l'avait pas remarqué.

—Euh, *¡ hola!*

Laissant là son scooter, il traverse la rue pour venir me rejoindre, le sourire fendu d'une oreille à l'autre. Je ne sais littéralement plus où me mettre, alors je regarde mes chaussures.

—Tou mé réconnais? Jé souis Manuel! Tou habites par ici?

Trop *cute* son accent! Je relève la tête. Il a le toupet dans les yeux. Ça lui donne une allure mystérieuse et très romantique. Je lui souris timidement et je me lance.

—Euh! Oui. Euh! Non. Enfin. J'habite à l'hôtel Peninsular avec ma mère. (Je lève le bras en direction de notre hôtel.) Enfin, je n'y habite pas vraiment. Nous sommes ici pour les vacances. Je faisais juste un p'tit tour. Et toi, que fais-tu ici?

Je suis aussi rouge que la Lamborghini stationnée à côté de nous. Pourquoi diable suis-je allée lui donner le nom de notre hôtel? Et comme si ce n'était pas suffisant, je me suis ridiculisée en lui demandant ce qu'il était en train de faire, alors que c'est plutôt évident. Il d-e-s-s-i-n-e, ma pauvre!

—Jé dessine.

—Hum!

Silence embarrassé.

—Tu dessines quoi?

Décidément...

—Cette maison, répond-il en désignant l'édifice devant lequel nous sommes postés, La Pedrera.

—La quoi?

—La Pedrera, ou la Casa Milà si tou préfères. C'est lé nom qué l'on donne ici à cette maison. Elle est célèbre parce qu'elle a été conçoue par Antoni Gaudí, oune architecte d'ici, très connou.

—Ah!

Re-silence embarrassé.

—Je dois y aller, ma mère m'attend.

Je prends mes jambes à mon cou sans regarder en arrière. Il va croire que je suis réellement déficiente. «Ma mère m'attend»! Non mais! Un vrai bébé la la!

18 H

Maman et moi avons décidé de sortir manger un petit quelque chose de bonne heure parce qu'elle doit encore travailler ce soir et que j'ai une soirée prévue avec Susannah. D'un commun accord, nous choisissons de rester près de l'hôtel. J'ai tant marché aujourd'hui que je ne sens plus mes pieds. Le vent est tombé et le soleil réchauffe les larges trottoirs de ciment. La température est très douce et il fait encore clair, ce qui m'épate vraiment. Ma mère dit que l'Espagne a le plus grand nombre d'heures d'ensoleillement de toute l'Europe. Eh ben !

Le restaurant Romesco, au fond de la Carrer de Sant Pau, est minuscule et ne comporte que quelques tables toutes occupées, apparemment par des gens du quartier. L'homme qui nous accueille à l'entrée semble être le patron. Il parle fort, sourit beaucoup et porte une moustache comme je n'en ai jamais vu auparavant. Immense. Vu qu'il n'y a pas de place, nous nous préparons à faire demi-tour, mais le moustachu ne nous lâche pas avant de nous avoir trouvé une petite table, au fond de la salle. Il me fait rire, mais je ne suis pas certaine que je vais apprécier sa cuisine. Hum, toujours pas de spaghettis à la sauce bolognaise… Je choisis du poulet rôti et du riz à la tomate. Je raconte à maman ma journée et elle me raconte la sienne. Elle a vu trois musées et quatre églises. La pauvre! Je compatis et je lui décris l'appartement des parents de Susannah, je lui parle de la musique qu'elle m'a fait découvrir, mais je ne souffle pas un mot au sujet de Manuel. Puis nos plats arrivent et c'est dix sur dix pour le moustachu parce que c'est sans doute le meilleur repas que j'ai mangé à Barcelone jusqu'à présent. Pas mal finalement! En dessert, on nous apporte un truc qui goûte le ciel: la *crema catalana*, une sorte de crème brûlée couverte de caramel croustillant. Incroyablement-super-bon. Presque meilleur qu'un fondant au chocolat. Faut le faire!

Après le repas, maman me raccompagne jusqu'à l'entrée de l'hôtel où elle m'embrasse avant de me quitter. Je déteste quand elle fait ça en public, alors je me tortille pour me dégager.

— Sois prudente, pitchounette, et demande à Susannah ou à ses parents de te raccompagner après la soirée. C'est bien clair?

— Super clair, maman!

— Et ne rentre pas après 23 h 30.

— Oui, maman!

— Quoi?

— Je veux dire non, maman!

— Si tu reviens avant, on en profitera pour casser la croûte à 23 h, m'annonce-t-elle avant de s'éloigner.

Encore un repas ? Bon sang, ils sont fous ces Espagnols ! C'est toujours l'heure de manger ici. On fait cinq repas par jour : *el desayuno, el almuerzo, la comida, la merienda, y la cena*, en fin de soirée. Et c'est sans compter les collations... Si je continue comme ça, j'aurai bientôt besoin d'une nouvelle garde-robe puisque mes fesses auront la taille d'au moins deux États américains lorsqu'on rentrera à la maison... Je regarde ma montre : 19 h. J'ai à peine le temps de me préparer avant l'arrivée de Susannah, qui doit passer me prendre à 20 h 30.

La soirée à laquelle j'ai été invitée a lieu chez une des copines de classe de Susannah, qui vit dans le même immeuble, deux étages en dessous. Je suis très excitée mais aussi, et surtout en fait, super intimidée. Je ne connais personne d'autre que la jeune Espagnole et je me demande s'il y aura d'autres invités qui parlent français. Mais le pire de tout, c'est que je n'ai rien à mettre de vraiment cool. Susannah est tellement bien habillée ! Postée devant la garde-robe de notre chambre d'hôtel, je panique ! Depuis qu'elle a quitté l'hôpital où elle travaillait, ma mère a fait de sérieuses coupures dans notre budget vêtements et je n'ai strictement rien acheté de neuf en prévision de ce voyage. Il y a bien la robe que j'ai portée au gala des prix Méritas, au début décembre, mais j'ai l'impression qu'elle est peut-être un peu trop chic... Le hic, c'est que je n'ai pas la moindre idée de ce que portent les filles d'ici lors de ce genre de soirée. Lorsque j'ai posé la question à Susannah, elle est restée vague et m'a dit que je pouvais mettre ce que je voulais.

—Jé souis soûre qué tou séras très mignonne, m'a-t-elle dit.

C'est bien gentil, mais ça ne m'avance pas beaucoup. J'essaie quand même la robe. Bof... Je la trouvais jolie lors du gala, mais elle me paraît soudain bien ordinaire. Je l'enlève et j'essaie plutôt mon jeans *skinny* noir avec la jolie blouse rayée que m'a offerte ma grand-mère pour mon anniversaire. C'est déjà mieux, mais est-ce que le *skinny* ne fait pas un peu trop sport pour une soirée? Hum! Peut-être bien... Mieux vaut essayer autre chose, alors! Ma jupe zébrée avec un top blanc? Pas sûre... Je l'enfile et l'enlève aussitôt. À moins que... Non. Décidément, ça va mal! Et ce top avec la jupe noire? Re-bof.

21 H

On frappe à la porte de la chambre. Quelle heure est-il? *OMG!* C'est la cata! C'est certainement

63

Susannah et je suis en petite culotte et soutien-gorge au milieu de la pièce. J'enfile ma robe de chambre et je vais ouvrir.

— Et alors, *Julietta* ?

Elle m'embrasse sur les deux joues et entre. Quand elle m'appelle *Julietta*, je craque. Mon prénom me semble plus joli qu'avant quand il est prononcé avec son accent… Terminée, la rime avec « bobette » et « débarbouillette » ! Mais l'heure est tout de même grave.

— Je suis désespérée. Je n'ai vraiment rien à me mettre.

— Laisse-moi voir.

Plongeant à deux mains dans l'amas de vête-ments que j'ai laissé tomber par terre, elle en res-sort trois minutes plus tard avec à la main ma jupe noire et la jolie blouse offerte par ma grand-mère.

— Mets céla, m'ordonne-t-elle.

— Tu crois ?

— Allez, on est en rétard.

Pas la moindre trace d'impatience dans sa voix qui est si douce qu'on l'entend à peine, mais une pointe d'amusement. Se moque-t-elle de moi ? Elle pointe les bottes de cowboy de ma mère à côté du lit :

— Elles sont souuuper ces bottes. Elles séront parfaites avec la joupe !

—La quoi?

—La joupe.

—Ah! la jupe! Non mais, c'est une blague? Avec ces bottes? Vraiment?

—Oui!

Son sourire est si désarmant que je me laisse persuader. Bon sang! Ma mère va me tuer si elle se rend compte que je suis sortie avec ses bottes, mais je serai sans doute rentrée avant elle...

22 H

La soirée est plutôt sympa, mais on ne peut pas dire que je m'amuse follement. Je me sens un peu seule, bien que l'appartement des parents de Pilar – c'est le nom de la fille qui reçoit et, si vous voulez mon avis, il y a pire que Juliette finalement... – soit plein à craquer. Tout le monde me sourit et est gentil avec moi, mais je ne comprends pas grand-chose de ce qui se dit. Ce qu'il y a, c'est que Susannah est assez occupée avec tous les garçons qui sont ici et que tout le monde parle catalan, ou, euh, castillan, comme ils disent...

Heureusement, il y a des tas de bonnes choses à manger et à boire. Il y a aussi un groupe de musiciens *live*. Âgés entre treize et quinze ans, ils jouent une musique vraiment cool. Pas autant que celle de Julian Beaver, mais très correcte. Je suis seule dans mon coin depuis un moment et je me contente de sourire à la ronde comme une tarte aux pommes. Super! Je suis hyper embarrassée et il est probable que tout le monde se demande ce que je fais ici, habillée en cowgirl. Misère... Heureusement, on ne voit pas à deux pieds devant soi parce que la plupart des lumières sont éteintes et que seules quelques lanternes chinoises en papier de riz disposées ici et là nous éclairent. Je laisse aller un bâillement. Je vais sans doute me coucher tôt ce soir finalement...

Soudain, je sens une main sur mon épaule.

— Hé! Content dé té révoir!

Me retournant, je n'en crois pas mes yeux.

— Manuel!

Ça y est, je suis de nouveau rouge comme une tomate et je transpire. Heureusement que l'éclairage est presque inexistant finalement.

— Mais qu'est-ce que tu fais là?

— ¿ *Qué tal, Julietta* ? C'est ploutôt à moi dé té démander cé qué tou fais ici.

Avant même que je le voie venir, il me colle un baiser sur chaque joue. Bravo! Voilà mon teint qui vire à l'aubergine!

— Alors, tou connais Pilar?

—Euh! pas vraiment. Je ne l'ai rencontrée que tout à l'heure. C'est Susannah, ma copine, qui m'a invitée, dis-je en montrant cette dernière.

Je sais, ma mère m'a maintes fois répété qu'il est impoli de pointer les gens du doigt. Ce faisant, je m'aperçois que ma copine discute avec Miguel, le copain de Manuel. Ainsi, ils se connaissent... Je me retourne et ose lever les yeux vers mon compagnon. *OMG!* Il n'est pas mignon finalement, il est super-*full*-extra-beau! Il a même un petit trou dans la joue droite quand il sourit. Je n'avais pas remarqué ça, les autres fois. Affolant! Mais j'ai l'air de quoi moi, là?

—Alors, tou té plais à Barcelona?

—Euh! oui. C'est vraiment beau.

Je souris bêtement. De mieux en mieux, décidément.

—Tou es en vacances.

—C'est ça, oui. Ma mère écrit des articles sur Barcelone, alors je l'accompagne.

—Tou en as dé la chance. Moi, jé rêve dé voyager aussi. J'ai vécou en France avec mon père lorsque j'étais pétit, mais c'était il y a longtemps et, en déhors dé ça, jé né souis jamais allé noulle part.

—Hum...

Il faut absolument que je trouve quelque chose à dire! Que je lui montre que je ne suis pas une sans-génie mais une fille brillante… Vous voyez ce que je veux dire ? C'est vrai après tout ! Je suis peut-être plutôt nulle en science, mais je suis géniale en français d'habitude…

— Tu vas à l'école ?

Il paraît surpris par ma question. Elle n'est peut-être pas VRAIMENT brillante, mais je n'ai pas trouvé mieux tout de suite, comme ça…

— Bien soûr, mais là, on est en congé pour oune mois.

— Wow ! Un mois entier ? C'est vraiment cool ! Tu as le temps de faire plein de choses…

— J'aime bien dessiner. Mon père est historien, mais mon grand-père était peintre et mon arrière-grand-père était oune grand artiste. J'aimerais être commé loui.

— C'est génial !

— Tou t'amouses ?

— Un peu. Mais je ne connaissais personne d'autre que Susannah avant que tu arrives, alors…

— Ça doit être difficile pour toi si tou né comprends pas cé qué les gens disent !

Il me fait plier des genoux tellement il est gentil. Il semble tout comprendre avant même que j'aie le temps de dire les choses.

— Ce n'est pas si mal. La musique est bonne…

—Tou sembles si douce et timide. *Eres muy hermosa, Julietta. ¿Lo sabes?*

Moi, douce? Peut-être pas tant que ça, mais si ça peut lui faire plaisir... Et puis, je rêve ou il vient de me dire que je suis jolie, juste là? *OMG!* il a même dit «TRÈS» jolie. Et voilà qu'il regarde les bottes de ma mère d'un air appréciateur et me fait un clin d'œil tout ce qu'il y a de plus craquant.

—*Me gustan tus botas.*

Il dit qu'il aime mes bottes. Mieux vaut renoncer à lui expliquer qu'il s'agit de celles de ma mère...

—Il fait chaud ici, hein?

—Tou veux sortir oune peu?

Je regarde autour de nous. Est-ce que je peux vraiment faire ça? Maman n'approuverait probablement pas... Mais on n'a qu'une vie à vivre, n'est-ce pas? Je réfléchis deux quarts de seconde avant de dire oui. Je me fraye un chemin jusqu'à Susannah pour l'avertir.

—J'ai un peu mal à la tête, Susannah. Sans doute le décalage horaire. Je pense que je vais rentrer.

—Oh! Pauvre *Julietta*! Tou veux qué jé té raccompagne?

—Non, Manuel va me ramener, dis-je en tournant le regard vers le garçon qui se tient près de moi et en tentant de garder un visage aussi normal et décontracté que possible.

Susannah sourit.

— Jé vois. Il semble vraiment sympa! Dé quoi donner mal à la tête, c'est vrai.

Elle se penche vers moi et me dit à l'oreille :

— Pilar lé connaît, il est dans sa classe de dessin. Elle dit que c'est oune garçon vraiment très chouette et qué tou n'as rien à craindre. Profite bien dé ta fin de soirée. Jé passe té prendre autour dé 10 h, demain matin ?

Reconnaissante, j'acquiesce de la tête. Elle me refait la bise sur les deux joues (ça semble vraiment être l'habitude ici de se bécoter les deux joues à tout bout de champ), puis lorsque je passe le seuil avec Manuel, elle me fait un dernier signe de la main et un sourire complice. Décidément, ces vacances s'avèrent beaucoup plus intéressantes que je ne l'avais imaginé.

En tout cas, c'est à partir de ce moment, de ce moment-là très précisément, que les choses se sont soudain accélérées…

Dimanche 21 décembre

10 H

J'ai été réveillée par la sonnerie du téléphone à 9 h. Susannah sera là dans quelques minutes. Malgré notre petit accrochage d'hier soir, ma mère a quitté la chambre tôt ce matin en laissant un petit mot:

Ne fais pas de folies, mais profite bien de ta matinée. On se retrouve pour le lunch devant la cathédrale! Te quiero. X X X Maman.

Elle est quand même cool ma mère! Des fois, je me dis que j'ai de la chance. La soirée d'hier a pris un tour absolument inattendu. Et une autre que ma mère m'aurait sans doute clouée à la chambre jusqu'à la fin de notre séjour. Pas elle. Après un mini-sermon, elle ne m'a pas donné la moindre punition. Il faut dire qu'elle a quand même un peu crié… Surtout quand elle a dit qu'il faut toujours se méfier des gens qu'on ne connaît pas et bla bla bla. Alors, je lui ai raconté deux ou trois trucs sur la soirée. Pas tout… Bien entendu ! Enfin, pas la suite. Le problème, c'est que je suis rentrée un peu tard.

Une fois sur le seuil de l'immeuble où habitent Pilar et Susannah, Manuel et moi nous sommes adossés au mur à côté de son scooter qui était stationné dans la rue. On s'est mis à discuter de choses et d'autres, puis Manuel m'a avoué qu'il ne connaissait pas vraiment sa mère parce qu'elle les a abandonnés, son père et lui, quand il avait trois ans et qu'il ne l'a jamais revue. Ça m'a fait tout drôle qu'il me fasse cette confidence. De plus, il m'a semblé un moment que sa voix tremblait légèrement. Je me suis sentie tout à coup tellement proche de lui ! Quand il m'a proposé d'aller faire un tour, je n'ai pas réfléchi et j'ai accepté sans hésiter. Il a alors sorti deux casques du coffre de rangement de son porte-bagage et m'a aidée à enfiler le mien. Une fois la courroie de maintien bien ajustée, il a effleuré le bout de mon nez de son index en souriant et a dit : « *¡ Eres muy guapa, Julietta !* Tu es très belle, Juliette… J'aime ces pétites taches sur ton nez. » J'ai rougi. Évidemment. Puis nous sommes allés nous promener dans la

Ciutat Vella, la vieille ville. Partout, il y avait foule. C'est fou ce que les gens sortent tard à Barcelone ! Mais, assise derrière Manuel, mes bras encerclant sa taille, je me suis soudain sentie parfaitement dans mon élément dans cette ville que je ne connaissais pas du tout il y a moins de trois jours. L'école, les maths, la géo, et même Gina et Gino m'ont tout à coup semblé si loin... Après une balade d'environ trente minutes, Manuel a proposé de me ramener à l'hôtel, mais j'ai refusé. Après tout, il n'était que 22 h 30 et je me sentais trop bien ! Il a demandé si ma mère n'allait pas s'inquiéter, mais j'ai répondu que j'étais certaine qu'elle n'était pas encore rentrée. Nous avons donc quitté le centre-ville et nous sommes dirigés vers le sud, en direction de la colline de Montjuïc qui s'élève à 213 mètres au-dessus du port de Barcelone. De là, la vue est absolument spectaculaire. Il a stationné le scooter et nous sommes descendus nous balader. La nuit était douce et s'il n'y avait pas eu des décorations partout, je n'aurais jamais cru que nous étions à soixante-douze heures de la nuit de Noël...

Près de la Plaça de Espanya, des cascades d'eau descendent en terrasses entre le Palau Nacional et la Font Màgica, « la fontaine magique ». Il y avait de la musique et d'immenses jets d'eau illuminés.

C'était aussi magique que le nom de la fontaine! J'étais bouche bée. Puis Manuel m'a emmenée au Castell de Montjuïc, une grande forteresse d'où la vue est à couper le souffle. Je n'avais jamais rien vu d'aussi beau que ce panorama de Barcelone la nuit. Je devais sembler émue puisque c'est le moment qu'il a choisi pour enfin me prendre la main. Embarrassée, j'ai baissé la tête, car j'ai soudain eu très peur qu'il m'embrasse. Non pas parce que je n'en avais pas envie, mais parce que je n'ai encore jamais embrassé un garçon... En tout cas pas sur la bouche. Ben quoi?

On frappe. C'est Susannah!

—Hé, salut!

—¡*Hola amiga!*

De nouveau, elle m'embrasse sur les deux joues. Je vais finir par m'habituer, j'imagine. Avec Gina et Gino, on se fait plutôt l'accolade...

—Tou es rentrée tard hier soir?

—Euh! Autour de minuit...

—Jé croyais qué ta mère t'avait donné jousqu'à 23 h 30.

Son sourire est un peu moqueur.

—Justement. Lorsque je suis rentrée, elle m'attendait dans le hall en bas et n'était pas contente du tout...

—¡*Dios mio!* Elle a vou qué tou n'étais pas avec moi ?

—Oui.

—Et alors ?

—Alors, elle est sortie pour parler à Manuel.

—Ooooooh ! Elle était fâchée ? Comment ça s'est passé ?

—Il a été absolument parfait. Il lui a expliqué que nous n'avions pas vu l'heure passer à la soirée et qu'il m'avait raccompagnée en scooter à ta suggestion parce qu'il était trop tard pour rentrer à pied. Elle l'a cru. Et puis surtout, elle a été super impressionnée quand il lui a dit qu'il était l'arrière-petit-fils d'Antoni Gaudí. Tu sais, le fameux archi-tecte qui a dessiné toutes ces maisons bizarres...

—¡*Dios mio!* C'est pas vrai ?

—Je ne sais pas, mais c'est ce qu'il lui a dit. Qu'est-ce que tu en penses ?

—C'est possible. Jé vais démander à Pilar. Elle saura.

—En tout cas, ma mère a gobé ça. Enfin, elle lui a tout de même demandé le numéro de télé-phone de son père et elle a dit qu'elle l'appellerait ce matin pour vérifier. Je pensais mourir de honte, mais Manuel, lui, a semblé trouver cela tout à fait normal. Pour finir, maman était absolument sous le charme et sa colère est retombée d'un coup. Elle m'a à peine engueulée. Il faut dire que je lui ai expliqué qu'il s'agissait d'un de tes amis et que c'est toi qui me l'avais présenté...

— Bon, ça veut dire qué si ma mère ou ta mère mé questionne sur le sujet, il faudra que jé dise commé toi?

— Euh! Ouais.

— D'accord. Jé comprends qué jé viens dé mé faire oune nouvel ami, dit-elle en souriant.

Elle est vraiment trop cool cette fille!

— Oh, Susannah, t'es vraiment gentille!

Je lui fais une accolade et l'entraîne dans une sorte de gigue à travers la chambre. Elle rit aux éclats et demande:

— Elles sont toutes commé toi, les Canadiennes?

— Non. Ma mère et mon amie Gina disent que je suis un vrai garçon manqué.

— Jé né souis pas dou tout d'accord. Tou es adorable!

Elle est trop fine, je vous dis!

11 H

Nous prenons notre petit déjeuner à l'hôtel, puis Susannah m'emmène voir les décorations de Noël en ville. Nous commençons par la crèche grandeur nature de la Plaça Sant Jaume. C'est là que j'apprends que les Catalans sont principalement catholiques, comme la plupart des Québécois. Enfin, pas moi puisque je ne suis pas baptisée, mais maman et grand-maman le sont, elles, même si elles ne vont jamais à l'église. Il y a foule ici, en tout cas. C'est fou de penser que tout ce monde est venu là pour contempler une crèche! Susannah a vu tout cela des milliers de fois, alors nous allons plutôt flâner du côté de la Fira de Santa Llúcia, le marché artisanal de Noël, sur la Plaça de la Seu, près de la cathédrale. Cette foire se tient chaque année en décembre depuis le XVIIIᵉ siècle, m'explique mon amie. Les stands sont en bois peint et joliment décorés. C'est vrai qu'on se croirait à une autre époque! Il y a des quantités de petits trucs vraiment mignons et pas chers du tout, en majorité des décorations et des cadeaux de Noël. Je me dis que ce serait bien de trouver un cadeau pour ma mère!

—Qué penses-tou dé ça? demande Susannah en me tendant un carnet de notes dont la couverture est en toile avec une jolie peinture de Joan Miró reproduite sur le dessus.

—Ouais. C'est vrai qu'elle noircit des tas de carnets à cause des notes qu'elle prend pour ses articles et ses livres.

L'illustration représente des oiseaux de différentes tailles et de toutes les couleurs. On dirait un dessin d'enfant des années 1970, mais il est vraiment très beau et le carnet ne coûte que douze euros. Parfait pour mon budget!

— Je le prends!

J'espère qu'elle sera contente, ma p'tite mère. C'est un cadeau qui lui ressemble. Il est simple, artistique et, surtout, très coloré! La vendeuse me l'emballe dans du joli papier et ajoute un ruban rouge. Je la remercie et elle me répond en souriant.

— ¡ Muchas gracias!

— De nada. ¡ Feliz Navidad!

Je commence à être bonne en espagnol, je trouve! Je mets le précieux cadeau dans mon sac à dos, puis mon attention est détournée par autre chose.

— Bon sang! Susannah, t'as vu ça?

Je pointe la figurine la plus excentrique que j'aie jamais vue. Là, parmi les petits personnages destinés à peupler les crèches miniatures, il y a toute une collection de statuettes représentant des bonshommes en position accroupie... les fesses à l'air et les culottes à terre!

— C'est el Caganer, dit Susannah en riant de ma surprise. On lé met dans la crèche avec les autres personnages. C'est pour dire adieu à l'année qui sé termine et c'est oune tradition typiquement catalane.

— Drôle de tradition, franchement! Et ceci? dis-je en montrant des petites bûches avec un visage peint à leur extrémité.

— Ça, c'est *el Tío de Nadal*. On lé met dans la maison au débout décembre et les enfants loui donnent des coups dé bâton tout lé mois en chantant oune chanson qui s'appelle *Caga Tío*, afin qué la veille dé Noël lé *Tío*, «l'oncle» en français, «accouche» dé cadeaux. Des friandises en général.

Elle rit de ma surprise.

— Eh ben!

Je n'en reviens pas.

12 H

Nous avons rendez-vous avec nos mères devant l'entrée principale de la cathédrale. Tous les dimanches, à midi, les Barcelonais se rassemblent à cet endroit pour danser la *sardana*, une autre tradition catalane, à ce qu'il paraît. Rien à voir avec le flamenco en tout cas! Ça se danse en rond, en grand groupe. Un peu comme on le fait chez nous, quand on va à la cabane à sucre. Mais la première chose que je remarque, c'est le sérieux des danseurs.

—Il paraît qué la *sardana* sé dansait déjà chez les Étrusques et dans la Grèce antique, m'explique Susannah, mais c'est parce qué cetté danse est oune symbole solennel dé la culture catalane, qui est différente dé celle dou reste dé l'Espagne, qué mes compatriotes la prennent tellement au sérieux.

C'est monsieur Cayer, mon prof d'histoire, qui sera surpris quand je lui raconterai ça! Certains danseurs portent le costume traditionnel: jupe circulaire pour les femmes, pantalon noir, chemisier blanc et une sorte de long foulard en guise de ceinture pour les hommes. Chacun tient les mains de son voisin ou de sa voisine, et sautille en chœur, toutes générations confondues. C'est assez facile comme jeu de pieds et de mains, du moins pour la plupart des gens. Pilar et Susannah nous entraînent, maman et moi. Nous sommes au moins soixante-dix personnes à danser et c'est hilarant de voir ma mère faire son possible pour suivre le rythme. Elle a beau faire, elle n'y arrive pas! Pauvre maman! Je ne me place pas directement à côté d'elle pour que ça ne paraisse pas trop que je suis sa fille...

Et puis soudain, devinez qui je vois? Eh oui, plus loin, à ma droite, Manuel et son père sont là! Du moins, je suppose qu'il s'agit de son père parce qu'ils se ressemblent incroyablement tous les deux!

Le monsieur est donc pas mal du tout, soit dit en passant. Enfin, pour un vieux, je veux dire… Maman aussi les a vus. Ça crève les yeux en raison de la façon dont elle se tortille pour regarder dans la direction du père de Manuel… Hum ! Des ennuis en perspective ?

13 H

La danse terminée, Susannah et sa mère doivent rentrer à la maison parce que le père de Susannah les attend pour la *comida* du dimanche, un repas que les Espagnols ont l'habitude de prendre en famille. En revanche, Manuel et son père se dirigent droit sur nous. Les présentations achevées, je comprends que ma mère et le père de Manuel se sont parlé dans la matinée et que notre « rencontre » ne doit finalement rien au hasard. Je réalise aussi que le père de Manuel doit trouver ma mère à son goût parce qu'il la regarde d'une drôle de façon. Bizarrement, elle se balance d'un pied sur l'autre comme si la séance de *sardana* n'était pas terminée... En fait, les deux arborent une expression un peu ahurie ! Manuel me sourit de toutes ses dents et ne semble pas surpris du tout lorsque son père nous invite à manger avec eux.

14 H

Nous sommes attablés au Talaia Mar, un très chic restaurant de forme circulaire, dont les baies vitrées, aussi courbes que les murs de la Pedrera, dominent la marina du Port Olimpic. Jamais vu autant de luxe ! Même maman semble intimidée. Elle regarde sa petite robe noire d'un air désolé et s'excuse de sa tenue auprès du père de Manuel. Celui-ci, charmeur, lui répond qu'elle est sans aucun doute la plus jolie femme de l'endroit. Ça y est. Lorsqu'elle rosit de plaisir, je comprends qu'elle est sous le charme. *OMG!* Ces deux-là vont-ils se faire les yeux doux pendant tout le repas? J'espère que non, quand même. Diego, c'est le nom du paternel de Manuel, est historien et parle un français parfait, mais ma mère, sans doute dans le but de l'impressionner, s'obstine à lui parler en espagnol. Du coup, je ne comprends pas grand-chose de leur conversation et ça m'énerve royale-ment, surtout lorsqu'ils rient en nous regardant, Manuel et moi.

Mon ami, lui, semble plutôt content.

— Si nos parents sé plaisent vraiment, tou vas peut-être t'installer à Barcelone pour dé bon. Qui sait?

Il me fait un clin d'œil ravi, mais je suis pas mal moins enthousiaste que lui. Pas question de chan-ger d'école et d'amis, même si Manuel me plaît vraiment beaucoup et que ce sera dur de le quitter dans deux semaines… Enfin, s'il y a une chose sur laquelle nous nous entendons parfaitement, c'est sur le fait qu'être enfants de parents célibataires, c'est vraiment la galère! À ma grande surprise, nous passons quand même un super bon moment tous ensemble. Des fois, j'ai l'impression d'être à Barcelone depuis des mois. C'est une impression troublante. Suis-je en train de changer?

21 H

Je me garroche sur l'ordi pendant que ma mère est sous la douche. Mon iPad étant resté à la maison, ce n'est pas toujours évident de prendre mes messages Facebook sur mon iPod touch et encore moins de chatter… L'écran est si petit…

Gina: Hé! C'est toi, enfin!

Moi: Ma mère est toujours sur l'ordi. Ce n'est pas évident!

Gina: Alors, c'est comment l'Espagne?

Moi: J'ai rencontré un gars…

Gina: *OMG!* Et Gino?

Moi: Comment ça, Gino? Ça ne lui enlève rien. Il est en Argentine. On ne fait rien de mal.

Gina: T'as ben raison. Il est comment le gars, d'abord?

Moi: Si tu le voyais! Il est brun avec les cheveux bouclés, longs juste ce qu'il faut, et il a les yeux bleus et les cils aussi longs qu'une fille. Il s'appelle Manuel et il est vraiment beau!

Gina: Je ne t'ai jamais entendue parler comme ça d'un gars que tu connais à peine! Tu as du fun, alors? Dire que je ne suis pas là! Tu l'as rencontré où? Il t'a embrassée?

Moi: Wow! T'es malade? Pas si vite! En fait, il n'a même pas essayé, alors, je ne suis pas certaine de lui plaire...

Mardi 23 décembre

11 H

Aujourd'hui, Manuel, Susannah, Miguel et moi avons prévu aller au parc d'attractions de Tibidabo. Susannah dit que c'est un endroit magique. Il est situé sur la montagne Tibidabo (ils ont de la suite dans les idées) et les garçons doivent passer nous prendre avec leurs scooters. Hier, nous sommes déjà sortis tous les quatre ensemble dans une arcade de jeux vidéo et au retour nous sommes allés écouter de la musique chez ma nouvelle copine. Autant dire que nous sommes dorénavant inséparables. J'entre dans l'hôtel et en ressors en coup de vent, et maman ne semble rien y trouver à redire. À 11 h tapantes, Susannah et moi descendons dans la rue. Pas question de faire attendre nos amis. Nous avons à peine le pied sur le trottoir que nous les voyons apparaître au coin de la rue. Il fait un temps splendide encore une fois. La température est merveilleusement douce et le soleil est éclatant. J'aime tant en sentir les rayons sur mes joues. La neige et le froid ne me manquent pas du tout! Susannah monte avec Miguel et je m'installe derrière Manuel. Passant mes bras autour de lui, je dois presque me pincer pour croire à ma chance. Quelle folle expédition! J'ai évidemment dit à ma mère que nous y allions en bus. J'ai hâte de voir les jeux. Ils sont sûrement géants! Le parc est situé à 512 mètres d'altitude. Les scooters peinent à monter la longue pente qui mène à l'entrée principale et je me demande plus d'une fois si Susannah et moi n'allons pas devoir descendre... Mais les moteurs tiennent bon et... ouf! nous y voilà. Une fois sur place, je dois presque me frotter les yeux. La vue est fantastique! Barcelone s'étale sous nos pieds et c'est... wow! Vraiment beau. Les jeux par contre, euh, rien à voir avec Disney... Mais pas question de gâcher le bonheur de mes nouveaux amis qui semblent si fiers.

— Le parc a eu cent ans en 2008, précise Miguel, heureux de m'avoir emmenée voir des antiquités.

— Eh ben, ça explique tout!

Ça se voit un peu, en effet. Oh! Il y a bien quelques jeux hyper modernes, mais le parc ne compte qu'une trentaine de ces manèges. Rien pour m'épater en comparaison de La Ronde où je vais chaque été. Tout est super *cute* par contre, avec un petit côté vintage et des attractions que maman adorerait... Surtout le Museu d'Autòmats et sa collection de jouets mécaniques, de juke-box et de machines à boules. On se croirait dans l'ancien temps, enfin dans les années 1980, ou avant, quand ma mère et ma grand-mère étaient jeunes, quoi! Les montagnes russes sont toutefois à la hauteur du XXIe siècle. Elles sont vraiment hautes et épouvantablement terrifiantes.

Ahhhhhhhhhhhhhhhooooooooohhhhhhhhh! Noooooooooooooooon! Au secours! Je déteste avoir la tête en bas... Je regrette surtout de m'être gavée de friandises au caramel avant de monter dans ce satané jeu. *OMG!* J'ai VRAIMENT mal au cœur, là. Pitié! Je vais faire toute une impression si je me mets à vomir devant les garçons! Qu'est-ce qu'elle me dit, maman, dans ces cas-là? «Respire! Respire!» Je respire un grand coup et j'essaie de penser à autre chose.

—Eh, *Julietta*! Ça va?

—Beeeeurp!

14 H

Je me sens encore un peu étourdie, mais la nausée est passée. Susannah m'a accompagnée dans les toilettes publiques et je me suis passé de l'eau sur la figure après m'être rincé la bouche. Beurk ! J'ai presque honte de ressortir. J'ai finalement réussi à passer pour une folle ! Je n'ai jamais vraiment aimé les gros manèges de La Ronde en vérité.

—Allez, ça arrive à tout lé monde d'être malade. Jé lé souis tout lé temps d'habitoude, me dit gentiment Susannah.

Je n'accepte de ressortir des toilettes que parce que Manuel se risque à venir voir ce qui s'y passe… Et puis, comme on a déjà fait tous les manèges, il est temps d'aller voir ailleurs.

Le pire, c'est qu'une demi-heure après avoir été malade, je meurs de faim. Mon odorat a détecté l'odeur appétissante des marrons chauds, une sorte de noisettes géantes que le vendeur fait cuire sur la braise dans une grande cuve qui ressemble à une poubelle. Manuel propose gentiment de m'en offrir. Il est trop chouette ! Le vendeur fabrique un cornet en papier journal et le remplit après avoir pris soin de briser la coque du fruit. L'odeur me met l'eau à la bouche, mais ce n'est pas facile à manger. Je croque dans le premier sans me méfier et me brûle la bouche. C'est chaud, très chaud même, et la saveur est un peu amère, enfin ça ne goûte pas du tout sucré, en tout cas... Pouah! J'essaie de me faire discrète, mais j'en recrache tout de même un bout dans ma main en grimaçant. Je surprends le regard de Susannah lorsque je m'en débarrasse en me frottant nonchalamment la paume sur mon jeans. Je suis mal à l'aise parce que je cherche à me défaire aussi du sac sans que ça paraisse... Je ne voudrais pas que Manuel le prenne mal. Merdouille! Pourquoi est-ce que je me retrouve toujours dans des situations pareilles? Comme par miracle, ma copine comprend tout et vient à mon aide en me piquant le sac et en partageant le contenu avec Miguel avant de refiler le reste à Manuel qui semble ravi de constater qu'ils lui en ont laissé.

— J'adore les marrons chauds, dit-il.

Ils sont fous ces Européens! Quant à moi, j'ai soudain une folle envie de toasts au beurre de *peanut*. J'en mangerai un pot entier lorsqu'on rentrera!

À la sortie du parc, je jette un coup d'œil aux colonnes Morris et devinez ce que je vois? Une affiche annonçant le show de Julian Beaver le soir du réveillon du Nouvel An au stade Palau Sant Jordi, sur la colline de Montjuïc! C'est bizarre, je n'ai aperçu aucune annonce lorsque je suis allée dans le coin avec Manuel, le premier soir où nous sommes sortis ensemble. Je rougis à ce souvenir…

— Ça vous tente d'y aller, les garçons?

Ils font la grimace avec une moue dégoûtée.

— Bof! non. Ça né nous intéresse pas vraiment.

— Ben, pourquoi?

— Moi, j'aimerais bien y aller, dit Susannah, mais les billets sont rares.

— Ooouh! Pas question d'y mettre les pieds, répètent Manuel et Miguel, c'est un spectacle pour filles.

— Vous êtes jaloux! se moque Susannah.

Ils haussent les épaules.

— C'est pas qu'on est jaloux, mais il excite tellement les filles qué jé né sais pas cé qu'on pourrait faire là. Et pouis, est-ce vraiment cool sa musique? Tou veux absolument y aller toi, *Julietta*?

— Euh! J'aimerais bien, oui. C'est HYPER cool comme musique. Ma mère a promis d'essayer d'avoir des billets… Tu crois qu'il reste des places, Susannah ?

— Hum ! jé né sais pas !

— Si vous y allez, nous férons peut-être oune effort, rien qué pour vous ténir compagnie, dit Manuel en me faisant un clin d'œil.

Je rougis encore. C'est drôlement fatigant cette histoire de rougissement à tout bout de champ ! On a bien inventé les antisudorifiques. Pourquoi pas un antirougifique ?

16 H 30

Sur le chemin du retour, nous faisons un détour par le Parc de la Ciutadella pour voir les *skaters*. Il s'agit d'un parc immense avec des orangers, des palmiers et des perroquets partout. C'est plus que malade ! Il y a même un petit lac où l'on peut canoter. Au milieu du parc, il y a une immense statue équestre. C'est là que se réunissent les adeptes de *skate*. C'est fou les figures qu'ils font ! J'aimerais que Gino et Gina y assistent. J'ai les genoux qui s'entrechoquent rien qu'à les regarder. Pas possible ! Comme Manuel et Miguel connaissent certains des gars, ceux-ci ne refusent pas lorsque Susannah et moi demandons à essayer une planche à roulettes. Ils sont drôlement surpris par contre. C'est vrai que les filles en planche semblent plutôt rares par ici ! Je mets prudemment un pied sur l'engin et l'autre sur le sol. Il y a une tête de mort mauve portant une casquette et des lunettes noires sur ma planche. *Full trippant !* Après m'être exercée près d'une heure, j'arrive à y mettre les deux pieds à la fois, mais ce n'est vraiment pas facile de garder l'équilibre. Gentils, Manuel, Susannah et même Miguel m'applaudissent avec enthousiasme. Susannah a plus de difficulté. On dirait que l'équilibre lui fait défaut. Moi qui suis généralement nulle en éducation physique, je ne suis pas peu fière. Quand je vais raconter ça aux filles à l'école !

18 H

Je suis morte de faim. L'exercice et les émotions, ça creuse ! Nous faisons un dernier arrêt sur le chemin du retour à la Boqueria, l'immense marché couvert de la Rambla. À perte de vue, des étals de fruits, de légumes, de miel, de petits pains, de chocolats et d'autres douceurs s'offrent aux visiteurs. Il y a tant de couleurs et ça sent si bon que j'ai envie de goûter à tout ! Je me laisse finalement tenter par les *churros*, une sorte de beignets allongés saupoudrés de sucre qu'on trempe dans

du chocolat chaud bien épais, du *colacao*. Miam!
Meilleur qu'un toast au beurre d'arachide finalement. Susannah me fait aussi goûter au *torró*
(*turrón*, en espagnol), une friandise qui colle aux
dents, et à des *ametlles garrapyniades*, c'est-à-dire
des amandes caramélisées. Je sais, le nom est
imprononçable – ça fait penser à une sorte d'af-
freuse araignée –, mais c'est absolument délicieux
(et bien meilleur que les marrons chauds)!

19 H

Manuel me laisse devant la porte de l'hôtel et
me donne un baiser sur la joue. Un seul. Hum!
C'est bizarre, non? Que devrais-je en penser?

—¡ *Hasta luego, princesa!*

—Au revoir, Manuel!

Quelle journée formidable! Euh, les épisodes
du vomi et des marrons chauds mis à part, évidemment! Je flotte littéralement jusque dans le
hall de l'hôtel. En mettant le pied dans notre
chambre, je constate que maman est encore une
fois rentrée avant moi. À son sourire content d'elle-
même, il est clair qu'il se passe quelque chose,
d'autant plus qu'elle a une main derrière le dos...
Qu'est-ce qu'elle tient comme ça? Du chocolat? Un
cadeau? Des billets pour le spectacle de Julian?

Pourvu qu'elle ne m'ait pas encore acheté une de ces robes poches qu'elle choisit parfois pour moi... Bah! Peu importe. J'adore les surprises!

—Chérie, j'ai un petit cadeau pour toi!

—Je m'en doute, ta main droite est cachée derrière ton dos, petite maman!

Elle sourit de plus belle.

—Devine ce que c'est.

—Des billets pour le spectacle de Julian Beaver? Une robe neuve pour y aller? Du chocolat?

Un peu dépitée par mes réponses, elle me présente un sac de... marrons. Je réprime un fou rire.

—Merci, m'man, mais, euh, tu y as goûté, toi?

Elle fait non de la tête.

—C'est parce que... j'en ai mangé avec Susannah cet après-midi. Allez, toi goûtes-y!

J'ai des remords un moment lorsque je la vois en porter un à sa bouche. J'éclate de rire lorsqu'elle manque de s'étouffer et le recrache dans sa paume.

—Ouache!

Elle se met à rire elle aussi.

—Ça sentait tellement bon, j'étais certaine que ce serait délicieux.

—Ouais, ça ne goûte pas ce que ça sent, hein? C'est comme le fromage.

Nous rions tellement qu'il faut nous tenir les côtes. Il y a longtemps que ça ne nous était pas arrivé de rire autant ensemble. On s'entend bien, ma mère et moi. Elle dit souvent que nous sommes deux moitiés de la même tarte...

—On sort manger ?

—Ça dépend où. Je viens de me bourrer de pâtisseries à la Boqueria.

—Que penses-tu du McDo de la Plaça de Catalunya ?

—*Yessssss* ! Je prends une douche avant parce que je sens encore un petit peu le vomi...

—Le quoi ?

Mercredi 24 décembre

10 H

Pas moyen de faire la grasse matinée. Et moi qui me croyais dans le pays de la *siesta*! Semblerait qu'on va passer la journée à faire des courses en prévision du souper de ce soir... Apprenant que nous n'avions nulle part où aller pour le réveillon et que nous pensions manger en tête à tête au restaurant, les parents de Susannah nous ont invitées en prétextant que tous les restaurants seraient fermés. Mais maman a refusé. C'est vrai que j'aurais eu l'impression d'être de trop entre le père, la mère et toute la parenté de Susannah. J'ai donc été d'autant plus surprise de l'entendre accepter avec empressement la même offre de la part de Diego... Hein? Y a peut-être un risque qu'on ne rentre jamais au Québec finalement! Lorsque je lui ai fait part de mes craintes, ma mère a éclaté de rire et m'a assurée qu'il n'était pas du tout question qu'elle sacrifie la réalisation de SON rêve de faire le tour du monde pour la simple raison qu'un homme nous a invitées à souper, «aussi séduisant soit-il», a-t-elle cependant ajouté. Et vlan! Le premier pas est franchi puisqu'elle avoue le trouver à son goût. Ce qui va arriver après est donc tout à fait imprévisible, quoi qu'elle dise. Avoir su, j'aurais été plus attentive pendant les cours d'espagnol. Même si, ici, c'est le catalan qui est indispensable. Mais qu'est-ce que je raconte là, moi? Il faut plutôt que j'élabore un plan pour freiner l'enthousiasme de ma génitrice. Quoique... Peut-être qu'on pourrait faire la navette entre le Québec et l'Espagne. Ça me permettrait de n'avoir à me séparer ni de Gino et de Gina, ni de Manuel et de Susannah... Ça semble une bonne idée. Mais, et l'école dans tout cela? Pas question que je lâche les études et que je me retrouve à vingt-quatre ans, vieille et illettrée, gagnant ma vie en nettoyant les tables d'un McDo, même catalan! Oh là là, c'est trop compliqué tout ça! Mieux vaudrait que maman arrive à convaincre le père de Manuel de déménager au Québec. Mais en voilà une bonne idée! J'ai trouvé la solution. Ça y est. Je suis un génie! Je me demande d'ailleurs pourquoi de tels éclairs ne me transpercent que rarement en classe de math.

Faut croire que j'ai parfois besoin de le laisser se reposer. Mon génie.

11 H

On entame notre chasse aux cadeaux de dernière minute à la Vila Viniteca, « une incroyable caverne d'Ali Baba pleine de trésors », d'après ma mère. Une simple SAQ pleine de vieilles bouteilles, beaucoup trop vieilles et poussiéreuses pour être bues, à mon avis. Je ne peux pas croire que je me sois laissé traîner ici de si bon matin un 24 décembre. Maman dit qu'on ne peut pas arriver chez Diego et Manuel sans vin, que ce serait grossier. Moi, je déteste quand elle prend un verre. Les adultes et le vin ! Jamais compris comment ils peuvent aimer ça ! Ça pue et ça les fait rire pour rien ! Enfin, on en reparlera…

— En tout cas, pas question que tu dépasses deux verres.

— Mêle-toi de ce qui te regarde, ma chérie ! Et puis, il n'est pas dans mes habitudes de trop boire et tu le sais très bien.

— OK, OK.

— En tout cas, je n'ai jamais vu des prix aussi bas. Le vin n'est vraiment pas cher en Espagne !

— C'est ça…

Elle a l'air aussi contente que s'il s'agissait de chaussures. Sacrée maman!

12 H

Deuxième station: la boutique Xocoa. À mon tour de capoter. Cet endroit est tout simplement PA-RA-DI-SI-A-QUE! En fait, il s'agit d'une chocolaterie. On y trouve toutes sortes de chocolats comme des chocolats à l'orange, à la pistache, au miel, au caramel et même au thé vert (beurk!) et au riz... Complètement fou!

—On devrait acheter une boîte à l'orange, une à la pistache, une autre au miel et il faut absolument en prendre une au caramel.

—Ah non, pas question de dépasser deux boîtes.

—Maman! Tu sais bien que ce n'est pas dans mes habitudes de trop manger de chocolat.

—OK, OK.

—Et puis, je n'ai jamais vu des prix aussi bas. Le chocolat n'est vraiment pas cher en Espagne et je m'y connais, crois-moi.

—C'est ça...

14 H

Après un lunch pris dans une sandwicherie, on va au cinéma. Maman dit que c'est excellent pour perfectionner mon espagnol. Le hic, c'est qu'elle a choisi un film au titre hyper bizarre avec un réalisateur au nom encore plus bizarre : Almodosar ou quelque chose comme ça. Moi, j'aurais préféré rentrer à l'hôtel pour chatter avec mes amis, mais maman dit qu'on s'est à peine vues toutes les deux depuis notre arrivée à Barcelone. Toute une excuse ! Qu'est-ce que c'est pénible de n'avoir que treize ans et de ne JAMAIS pouvoir en faire à sa tête... J'la vois toute l'année, ma mère !

18 H

Pas la moindre trace de Coke ou de pop-corn dans les cinémas catalans, apparemment. À la place, il y avait de la bière et du vin. Ouache ! Mais aussi des super glaces au chocolat praliné... Et puis le film était plutôt pas mal finalement. C'était l'histoire d'une fille qui vit à Madrid avec sa mère et son père jusqu'au jour où ce dernier avoue son désir de changer de sexe et de devenir une femme. Au début, la mère et la fille ne sont pas tellement d'accord. Et puis, après des discussions interminables, des larmes et beaucoup de drames, elles finissent par vivre ensemble heureuses, toutes les trois... Maman a tellement pleuré qu'elle m'a fait un peu honte, mais j'avoue avoir failli verser quelques larmes moi aussi.

19 H

Je finis d'emballer mes cadeaux pendant que maman prend un bain. Lorsque je l'entends sortir de la baignoire, vite, vite, je cache le tout dans mon sac pour ce soir.

—Maman ?

—Quoi ?

—Si tu épousais le père de Manuel, est-ce qu'il deviendrait mon père ?

—Où vas-tu chercher des idées pareilles ?

—Tu crois qu'on pourrait envisager de vivre au Québec pendant l'année scolaire et ici pendant les vacances ?

—Pas question !

—Il ne te plaît pas, Diego ? lui demandé-je en formant un cœur avec mes deux mains.

—C'est à ton tour d'aller te laver. Allez ! m'enjoint-elle sèchement.

Qu'est-ce qu'elle m'énerve quand elle ne répond pas à mes questions !

Monsieur Gaudí (c'est réellement le nom de famille de Manuel et de son père) est venu nous chercher en voiture. Une grande BMW toute noire. Très classe, il a ouvert les portières avant et arrière pour nous permettre de monter. La tête qu'il a faite lorsqu'il a vu maman apparaître dans sa robe de velours rouge et son écharpe de la même couleur ! Ça valait un million, minimum ! En fait, j'ai cru qu'il allait tomber à la renverse. Il faut dire qu'elle est réellement belle, ma mère, avec son abondante chevelure toute bouclée remontée juste ce qu'il faut sur la nuque, ses boucles d'oreilles qui brillent de mille feux et sa robe longue mettant en valeur sa taille fine et ses jambes interminables montées sur des talons vertigineux. Je me demande si je serai aussi belle qu'elle, un jour ! Ben, à voir les yeux de Manuel lorsqu'il sort de la maison pour venir m'ouvrir la portière, je ne suis pas mal non plus. Tout à l'heure, après m'être douchée, alors que je me désespérais devant la garde-robe de notre chambre, maman a soudain tiré un lapin de son chapeau, ou plutôt un cadeau soigneusement emballé qu'elle avait gardé caché dans sa valise. Une fois le papier déchiré, devinez ce que j'ai trouvé ! Une robe neuve ! Une fabuleuse robe bleu électrique de chez Desigual, avec un cardigan assorti décoré de fourrure aux poignets. Une merveille! Oh! maman! MERCI! MERCI! MERCI! Grâce à toi, Manuel est complètement K.O. depuis le début de la soirée. Il me regarde comme s'il découvrait une nouvelle personne et moi je ne me sens plus si garçon manqué que ça, tout compte fait!

Jeudi 25 décembre

MINUIT

Manuel et son père vivent avec la mère de celui-ci, c'est-à-dire avec la grand-mère de Manuel. Elle est gentille, mais pas autant que ma propre grand-mère. Maintenant que c'est vraiment Noël, grand-maman me manque. Au regard que me lance maman en m'embrassant sur le coup de minuit, je comprends qu'elle pense la même chose. Il faut dire que la grand-mère Gaudí ne semble pas prête à laisser son fils épouser qui que ce soit! Comme elle ne parle que le catalan, on ne comprend pas grand-chose de ce qu'elle dit, mais elle lance à maman des regards qui ne laissent planer aucun doute sur ses intentions: PAS QUESTION DE NOUS LAISSER TOUCHER À SES GARÇONS. Manuel, lui, semble trouver cela très drôle. Son père, pas autant. Cherchant désespérément à passer un moment seul avec ma mère, il la trimballe d'une pièce à l'autre sous prétexte de lui faire visiter la maison, mais la mère-grand finit toujours par les rattraper. Hilarant! Par contre, la mère Gaudí cuisine divinement et le repas de réveillon est délicieux. Je dis repas de réveillon parce que c'est comme cela qu'on l'appelle chez nous, mais ici, les Catalans mangent à 11 h du soir tous les jours, alors... Bref, on mange du canard au vin blanc et à la poire, avec du foie gras en entrée et, à ma grande surprise, j'adore ça. Sans oublier la pavlova au chocolat et aux petits fruits en dessert. Hum! La pavlova est une sorte de gâteau fabriqué avec de la meringue. Maman dit qu'on en trouve partout, mais je n'en avais jamais mangé auparavant. La table est magnifique aussi. Il y a des chandeliers et des branches de houx dans tous les coins. C'est féérique!

Mais là, c'est l'heure d'ouvrir les cadeaux. Manuel devient rouge comme un poinsettia lorsqu'il réalise que j'ai quelque chose pour lui, mais il refuse de déballer son paquet tant que je n'ai pas ouvert celui qu'il m'offre. Je ne sais plus où me mettre lorsque je découvre le plus joli des pendentifs que j'ai jamais vu! Il s'agit d'un cœur en argent au bout d'une chaîne tellement fine que je n'oserai jamais la porter de peur de la briser. Mon visage vire carrément du rouge au violet lorsqu'il me demande la permission de me la passer autour du cou.

— Ooooh !

Je reste bouche bée.

— Manuel, quelle délicate attention ! attaque ma mère. Qu'est-ce qu'on dit, Juliette ?

Non, mais de quoi je me mêle ? Décidément, elle ne rate jamais une occasion de me faire passer pour un vrai bébé.

— Merci, Manuel. Il est vraiment magnifique.

Ça y est, je suis probablement maintenant aussi bleue qu'un Schtroumpf. Et là ? Je fais quoi ? Je l'embrasse ou pas ?

— C'est à ton tour ! Ouvre ton cadeau !

C'est sorti un peu brusquement, mais c'est à lui d'être embarrassé. Je remarque que ses doigts tremblent lorsqu'il déchire l'emballage. Puis, découvrant son cadeau au fond de la boîte, il a l'air aussi ahuri que s'il venait de découvrir une tortue vivante. Normal, puisque je lui ai offert le fabuleux dernier CD de Julian Beaver !

— Euh ! *¡ Muchas gracias, Julietta !*

Enhardie, je profite de sa surprise pour lui coller un sonore baiser sur la joue.

— *De nada.*

Ça au moins, je sais le dire !

Je tombe de sommeil. J'ouvre à peine l'œil lorsque monsieur Gaudí nous dépose devant l'hôtel. Vivement mon lit! Mais maman ne l'entend pas de cette manière. De retour dans notre chambre, elle téléphone à la réception pour faire monter des chocolats chauds avec de la crème fouettée et des croissants. Je sens que mon estomac va probablement éclater avant la fin de la nuit, mais je ne dis jamais non à des croissants trempés dans le chocolat chaud. Cet après-midi, de retour du cinéma, maman et moi avons un peu décoré notre chambre avec des guirlandes trouvées dans les boutiques du quartier où nous avons fait nos courses. À cette heure de la nuit, le coup d'œil est très joli. Je me sens émue finalement. D'abord, on se met en pyjama, puis on passe aux choses sérieuses.

—J'ai encore un cadeau pour toi, ma pucette.

Enfin! Et puis, moi aussi, j'ai une surprise pour elle. Mais avant, mon cadeau! Elle pose une boîte plutôt volumineuse sur mes genoux. Qu'est-ce que ça peut bien être? Le tout est assez lourd, mais ma mère a déjà usé de ce type de subterfuge.

—Laisse-moi deviner? Ce sont des billets pour le concert de Julian Beaver?

Cette fois, j'aurais mieux fait d'avaler ma langue, je crois. Le visage soudain tout triste de ma mère me fait de la peine. Elle travaille si fort pour m'offrir tout ce qui me passe par la tête. Je me sens bien méchante de toujours en vouloir plus... Je lui saute au cou.

—Ce n'est pas ça, hein? Oh, maman, ce n'est pas grave, voyons! De toute façon, aucun de mes amis n'y va.

—J'ai tiré toutes les ficelles possibles, choupinette, mais il ne reste malheureusement plus le moindre billet.

—Même pas pour une superjournaliste VIP comme toi?

—Même pas...

—Ce n'est pas grave, je te dis.

En voyant des larmes lui monter aux yeux, je me dépêche de faire diversion en déchirant l'emballage de la boîte que je tiens toujours à la main.

—Oh! C'est pas vrai!

Je suis stupéfaite. Dans la boîte, il y a tout un assortiment de gadgets aux couleurs de Julian: le parfum Julian Beaver, un agenda Julian Beaver, un pyjama Julian Beaver et même une taie d'oreiller Julian Beaver. En voyant ma tête, maman retrouve le sourire.

—Oh! maman! Ma p'tite maman. Ce sont les plus beaux cadeaux de Noël que j'ai jamais eus!

— Allons, allons, et qu'est-ce que tu fais du iPad que je t'ai acheté l'an dernier, alors ?

— Il était pas mal non plus, c'est sûr, mais j'aime tant Julian Beaver...

— On avait remarqué. Sacrée pitchounette !

— T'es tellement fine, maman !

Je la renverse sur le lit et l'embrasse partout sur la figure jusqu'à ce qu'elle crie « chut ! ». Alors seulement, je la laisse se relever.

— C'est à ton tour maintenant d'ouvrir ton cadeau, maman !

— Qu'est-ce que c'est ?

— Ah ! ah ! Ouvre, tu verras...

À l'intérieur du carnet de notes à l'image de Mirò, j'ai glissé une petite surprise supplémentaire qui dépasse des pages.

— Quel joli carnet ! Comment as-tu deviné que Mirò est mon peintre préféré ? Et ça, qu'est-ce que c'est ?

Elle désigne un truc qui dépasse des pages.

— Deux billets pour le musée Mirò ?

— Ben ouais !

— Je croyais que tu détestais les musées.

— J'ai pensé que ça te ferait plaisir que j'y aille avec toi !

Heureusement qu'il y a un petit tapis sur le plancher de notre chambre pour absorber la mer de larmes qu'on laisse échapper en sautant dans les bras l'une de l'autre, parce que sinon c'était l'inondation assurée.

— Joyeux Noël, maman !

— Joyeux Noël, poussinette !

4 H

Maman dort et moi je chatte avec Gina et Gino en simultané. Chuuuuut !

Gino : Il est quelle heure en Espagne ?

Moi : 4 h.

Gino : À Buenos Aires, il n'est que 22 h.

Moi : Il est quelle heure au Québec ?

Gina : 22 h. Alors, en Espagne, le réveillon est passé et tu es déjà le 25 décembre ?

Moi : Ouais. Il est déjà 4 h du matin ici, alors je suis plus vieille que toi de six heures.

Gina : Tu crois que si tu faisais continuellement le tour du monde, tu finirais par vieillir plus vite que nous ?

Moi : Probablement ! Tu crois que je suis plus vieille que toi de six heures, Gino ?

Gino : Pas du tout, mais j'ai hâte de te revoir, par exemple.

Gina : Et le beau gars dont tu m'as parlé ?

Moi : Quel beau gars ? Gino vient de me dire que je lui manque !

Gino : Jules ?

Gina : *OMG !*

Moi : C'est fantastique !

Gino : Qu'est-ce qui est fantastique, *Julietta* ?

(Il ne va pas se mettre à m'appeler *Julietta* lui aussi ! C'est… trop mignon… Mon cœur cogne dans ma poitrine. *OMG !* Je ne rêve pas ?)

Moi : Je parlais à Gina.

Gino : Tu chattes avec Gina en même temps qu'avec moi ?

Moi : Depuis quand tu ne m'appelles plus Jules ?

Gino : Tu ne réponds pas à ma question ?

Moi : Pas du tout. Enfin, c'est quoi, la question ?

Gina : Tu es toujours là, Jules ?

Moi : Je suis là !

Gino : Jules ?

Moi : J'aime quand tu m'appelles *Julietta*…

Gina : Je ne t'appelle pas *Julietta* !

Moi : Moi aussi, Gino. J'ai hâte de te revoir !

Gino : Mon grand-père m'appelle. Je dois y aller. Au revoir, *Julietta* !

Moi : *OMG* ! Gina ! Je suis toute mêlée !

Gina : Quoi ? Mêlée pourquoi ?

Moi : Au revoir, Gino.

Gina : Tu es toujours là ?

Moi : Oui et je ne sais plus si je suis amoureuse de Gino ou de Manuel. C'est la cata.

Gina : Tu en as de la chance ! Moi, je suis pognée ici avec une ribambelle de matantes qui me courent après pour avoir des becs mouillés ou en pincettes en me demandant si « j'ai enfin un p'tit chum ». L'horreur...

(C'est vraiment la galère cette histoire ! Qu'est-ce que je vais faire ? En tout cas, il ne faut absolument pas que Manuel emménage au Québec maintenant que Gino semble enfin avouer qu'il s'intéresse à moi. Mais, et Manuel alors ? Mieux vaut négocier avec maman pour passer toutes nos vacances ici ! Ayoye ! C'est le naufrage !)

Gina : Tu reviens quand ?

Moi : Le 1er janvier.

Gina : Mauzusse que j'ai hâte ! À bientôt, Jules !

Moi : À bientôt, mon amie !

D'un commun accord, maman et moi décrétons qu'il n'est pas question de sortir du lit aujourd'hui. Un jour de congé ne nous fera pas de tort, alors on joue au scrabble en pyjama. Je n'arrive pas à croire que ce soit elle l'écrivaine et que je la batte tout le temps à ce jeu! Pas stratégique pour deux sous, ma p'tite mère. Pour corser l'affaire, on mise un peu d'argent. Si la tendance se maintient, j'aurai amassé un max d'argent de poche pour le *Boxing Day*! Yeah!

À 16 h, on se fait monter un plein plateau de *churros* au miel qu'on trempe dans des chocolats chauds. J'en mange trop et je m'endors. Est-il possible de faire une surdose de chocolat chaud?

Je me demande bien ce que font Manuel et Gino juste maintenant? Et Julian Beaver? Oups! On frappe à la porte.

—Surprise!

Susannah et sa mère sont là! Elles nous obligent à sortir du lit et nous invitent chez elles pour goûter l'agneau rôti, le pain de Noël et les *torrós* aux amandes et noisettes qu'a préparés Luz. Je vous l'ai déjà dit, en Espagne, on passe son temps à manger... Ne reste plus qu'à nous habiller et à tenter de remonter la fermeture de nos jeans sans faire craquer toutes les coutures!

Vendredi 26 décembre

10 H

Aujourd'hui, après nous être levées tôt et avoir englouti un solide petit déjeuner, maman et moi avons décidé de prendre la ville d'assaut. On commence par du lèche-vitrine dans les magasins du quartier Eixample, autour du Passeig de Gràcia. Première surprise : il ne semble y avoir aucun article en solde. C'est curieux, non ? Même chez Zara, on ne voit pas d'annonce dans la vitrine. N'y a-t-il pas de *Boxing Day* en Espagne ? Devant mon grand désarroi, ma mère se renseigne auprès d'une vendeuse chez Desigual, ma boutique préférée. D'un air un peu méprisant, la jeune fille lui répond que les soldes ne débutent qu'après la deuxième semaine de janvier. Ils sont fous, ces Espagnols ! On sera reparties depuis longtemps à ce moment-là ! On fait quoi, alors ? Dans Eixample, les couturiers internationaux côtoient des stylistes espagnols. Les premiers sont hors de prix, mais les seconds sont un peu plus abordables. On décide de continuer. Dans une boutique, maman essaie un super ensemble d'Adolfo Rodriguez. Il lui va si bien que j'insiste pour qu'elle l'achète, mais elle dit qu'il faut être raisonnable parce que nous avons encore plusieurs jours à passer à Barcelone, et que même si notre hôtel est plutôt bon marché, son budget n'est pas illimité. Dommage ! Mais il vaut peut-être mieux qu'elle ne soit pas trop jolie si je veux que le père de Manuel nous laisse repartir...

Trois pâtés de maisons plus loin, sa détermination à rester mesurée est mise à rude épreuve lorsque nous entrons chez Vinçon, une boutique de décoration avec tout ce qu'il faut pour mettre en valeur l'appartement le plus poche ! Ma mère perd presque la tête rien qu'à la vue des couvre-lits multicolores et de la vaisselle à motif méditerranéen. Décidément, je ne comprendrai jamais rien aux adultes ! Il me faut quasiment la sortir de force du magasin alors qu'elle s'apprête à se laisser tenter par une énorme couverture de laine bleue et jaune qui coûte « seulement » deux cents euros.

Je l'entraîne jusque dans une pâtisserie que j'ai repérée non loin de là, histoire de lui remettre les idées en place. Une fois qu'elle a dévoré un sandwich au jambon accompagné d'une salade et d'une pâtisserie, son fol enthousiasme retombe un peu.

— Je ne sais pas ce qui m'a pris, je n'ai jamais aimé le bleu et jaune…

— C'est bien ce qui m'a surprise aussi !

Cela dit, nous sommes prêtes à repartir. C'est bien beau, mais on n'a rien acheté pour moi dans ce quartier ! Maman propose de marcher jusqu'à la Plaça de Catalunya où se situe la succursale principale de El Corte Inglés, une chaîne de grands magasins typiquement espagnole. Le bâtiment occupe tout un coin de rue sur plusieurs étages et on y trouve de tout : nourriture, vin, produits électroniques, livres, disques, maquillage, parfums, vêtements, articles de sport, meubles, literie, vaisselle, etc. C'est presque un Walmart ou un Target, mais en plus marrant et bigarré parce que aux couleurs de la Catalogne. On y vend même des billets de corrida et de spectacle ! Un détour vers le guichet me confirme malheureusement qu'il ne reste vraiment plus le moindre siège pour le concert de Julian Beaver. Pas sûr que je vais m'en remettre. Mais maman, compréhensive, promet de m'acheter un joli truc pour la soirée du 31 décembre. Le plus cool, c'est que le quatrième étage du grand magasin est justement entièrement réservé à la mode adolescente. Les vêtements y sont vraiment trop beaux et pas chers du tout! Heureusement, parce que je veux tellement de choses que ma mère blêmit à vue d'œil. À force de négociations, je réussis à la convaincre que je vais augmenter mes notes de façon exceptionnelle, que je vais vider le lave-vaisselle tous les soirs sans me faire prier et passer l'aspirateur tous les dimanches… C'est que j'ai aperçu le plus adorable des jeggings que j'ai jamais vu de ma vie! Gris argent, il est décoré de motifs floraux et il met formidablement en valeur la camisole de dentelle à paillettes argent que j'ai repérée pour aller avec, ainsi que la veste à franges en suède mauve, dont le prix est réduit à 50%, qui forme un kit parfait avec les mocassins assortis… Oh! merci, ma p'tite maman, merci, merci, merci! T'es la plus gentille-adorable-fine-et-généreuse maman du monde! Je t'aime tant!

—Ouais, je sais… moi aussi, ma chérie.

Samedi 27 décembre

13 H 30

Grâce à la générosité et aux contacts du père de Susannah, nous emmenons Manuel et Miguel voir un match du FC Barcelona, le club de soccer professionnel de Barcelone, qui joue contre son ennemi juré, le Real Madrid, cet après-midi à 15 h. Les garçons sont passés nous prendre autour de 13 h et nous avons convenu de manger sur place, parce qu'il paraît qu'il va y avoir plus de 100 000 personnes. C'est pas des farces ! Heureusement que nous sommes en scooter, car le stationnement est archiplein. Il faut que je vous explique. Ici, le soccer ne s'appelle pas soccer mais football en français et *fútbol* en catalan. Le stade du Fútbol Club Barcelona (FC pour Fútbol Club), le Camp Nou, est le troisième plus grand stade de soccer au monde, après ceux de São Paulo, au Brésil, et de Mexico.

—Il a une capacité dé plous dé 110 000 spectateurs et il est hyper difficile d'obtenir des billets pouisqué lé peuple catalan vibre d'oune véritable passion pour son équipe et n'aime rien tant qué dé vénir l'encourager, m'explique fièrement Manuel, qui en a presque les larmes aux yeux.

—Oh! *boy!* On va avoir du fun, alors?

—Ouais, c'est vrai qué nous sommes oune peu émotifs quand il s'agit dé *fútbol*, m'expliquent Susannah et Miguel, en voyant mon regard perplexe.

—Lé FC Barcelona, *el* Barça pour les intimes, est associé à la résistance catalane. Il faut savoir qué parler catalan a déjà été interdit par oune certain gouvernement, explique Miguel.

—Qu'est-ce que tu me dis là? Ça se peut pas…

—Bien soûr qué ça sé peut! Dépouis oune siècle, lé Barça est lé symbole dé la résistance catalane en face du gouvernement central. Lé club DOIT remporter lé championnat. Il sé sent déshonoré lorsqu'il est battou par lé Real Madrid.

—Et pouis, enchaîne Manuel, c'est aussi l'équipe dou grand Diego Maradona, lé meilleur joueur dé tous les temps.

—Mais ça, c'était dou temps dé papa, rétorque Susannah. En cé moment, c'est lé beau Lionel Messi, lé joueur étoile.

— Il est meilleur que ne l'était David Beckham?

— Cent fois meilleur! Il faut dire qu'il gagne trente-trois millions d'euros par an.

J'en reviens pas! Presque autant que Julian Beaver, alors...

16 H

Ça brasse en titi dans le stade. La plupart des gens ont apporté des petits drapeaux qu'ils agitent frénétiquement. Manuel et Miguel nous ont prêté les leurs, et Susannah et moi prenons un plaisir fou à hurler avec la foule. Buteur super efficace et passeur incroyable, Lionel Messi fait un malheur sur le terrain. C'est un véritable dieu, même s'il n'est vraiment pas très grand. Enfin, il est plutôt mignon pour un vieux de vingt-huit ans... Il y a tellement de monde que c'en est effrayant par moments. Les gens hurlent, se lèvent, gesticulent. D'après Miguel, le stade comporte 107 portes d'entrée et peut être évacué en cinq minutes en cas de pépin. C'est bon à savoir!

16 H 59

Lionel Messi marque le but gagnant du match. C'est l'euphorie totale! Jamais vu autant de gens

aussi contents en même temps. Ils hurlent, chantent, tapent des pieds et des mains. Certains pleurent même de joie. La plupart se font des accolades à n'en plus finir. C'est super touchant! Moi-même, je suis émue. Bon, on fait quoi maintenant là?

17 H 30

Pour fêter la victoire du Barça, nous décidons de nous installer sur une terrasse de la Rambla.

L'enthousiasme général se sent jusque dans la vieille ville. A-t-on déjà vu une chose pareille chez nous ? Peut-être au hockey. En tout cas, les gens gesticulent et rient comme si tout le monde avait gagné le gros lot au loto en même temps ! Puisque les émotions, ça creuse, nous commandons un véritable festin de tapas avec des olives, du jambon, du saucisson et du pain à la tomate, accompagnés de thé glacé et de limonade.

La conversation tourne autour des légendes catalanes, qui sont nombreuses, d'après ce que j'entends. Je suis surprise d'apprendre à quel point ici, les jeunes s'intéressent à l'histoire et aux traditions. Il faut dire que la Catalogne était déjà habitée deux mille ans avant Jésus-Christ !

— On trouve des monuments mégalithiques dans toute la Catalunya, m'informe Manuel.

— Des monuments quoi ?

— Mégalithiques. Cé sont des monouments dé pierre dé très grande dimension érigés par les hommes pendant la période dou mégalithisme. Les dolmens et les menhirs, par exemple, en font partie.

— Comme les menhirs d'Obélix ? Ça, je connais !

— C'est ça. À cette époque, la Catalunya était habitée par les Celtes.

— Ah bon !

Manuel sourit en me regardant et sa fossette se creuse. Comme d'habitude, mon cœur chavire.

— Il y a des menhirs dans Barcelone ? J'aimerais bien en voir !

— Dans Barcelone, non. Par contre, toute oune partie dé la ville est d'origine médiévale et il paraît qu'il y a des kilomètres dé tounnels sécrets datant dé cette époque sous la vieille ville.

— Ma mère dit qu'il y en a déjà eu un sous notre hôtel…

— C'est bien possiblé. Au Moyen Âge, ces tounnels permettaient aux gens dé s'enfouir en cas d'invasion. Ils ont aussi servi dans les années 1930, pendant la guerre civile espagnole, poursuit Miguel. Plous de 1 400 réfouges anti-aériens ont été bâtis à cette époque pour protéger la population des bombardements. Chaque année, on en découvre des nouveaux en creusant pour construire des stationnements souterrains. On en a trouvé oune dans la cave dé notre maison.

— C'est fou !

— Oui. En Catalunya, l'histoire est importante et il y a aussi plein dé légendes anciennes.

Manuel, Miguel et *Susannah* se mettent ensuite à me raconter une très jolie légende. Celle de saint Georges, un chevalier qui, selon les Anciens, aurait combattu un dragon dans la région pour sauver une princesse. C'était il y a bien longtemps, évidemment.

— Avant même la découverte dé l'Amérique, précise Manuel.

— Il l'a transpercé dé son épée, raconte Miguel, et lé sang dé la bête a coulé sour lé sol.

— Oune rosier s'est mis à pousser à partir dou sang versé, continue Susannah.

— Lé chévalier a alors cueilli *una flor* pour la jeune princesse qui loui a remis oune livre en retour, poursuit Manuel. La légende dé cet amour courtois a sourvécu et, dépuis cé temps, lé 23 avril, les Catalans fêtent la Sant Jordi, la Saint-Georges en français, en s'offrant moutouellement des fleurs et des livres.

— Oh!

— Alors, si jé t'offre oune livre en avril, tou sauras à quoi t'en tenir, dit Susannah en regardant tendrement Miguel.

Ce dernier rougit jusqu'aux oreilles. C'est la première fois que je remarque à quel point ces deux-là semblent se plaire. Manuel se contente de me regarder en souriant gentiment, la mine un peu gênée. La conversation dévie rapidement sur les bagarres entre les Romains et les Wisigoths et je finis par décrocher, d'autant plus que j'ai mal à la tête. En regardant mes nouveaux amis si gentils rire et s'amuser, je me sens soudain très triste à l'idée de bientôt les quitter...

— Il y a quelqué chose qui né va pas, *Julietta*? demande Susannah, tou es toute rouge.

— Non, je vais bien, j'ai juste un peu mal à la tête et puis j'ai chaud, tout d'un coup.

Elle met sa main sur mon front.

— Mais, tou es broûlante dé fièvre!

— Non, non. Mais je vais rentrer tôt ce soir, je crois. Je suis fatiguée.

21 H

Au lit avec une fièvre de cheval. Maman pense que j'ai dû attraper «des maux qui courent» au Camp Nou. Les bains de foule, ce n'est jamais bon en période de grippe, dit-elle. Quoi qu'il en soit, je crois bien que je vais dormir vingt-quatre heures d'affilée. J'ai la tête qui tourne et un mal de gorge de chien. Carrosse!

Lundi 29 décembre

12 H

La fièvre est tombée et j'émerge tranquillement. Maman dit que je lui ai fait une peur bleue, mais que ça va aller maintenant. Le docteur est venu nous rendre visite hier. Il a expliqué que j'ai attrapé un virus sans gravité et que je serais sur pied dès demain. Heureusement, puisque maman et moi devons rentrer au Québec dans trois jours. Pas de temps à perdre au lit!

En ouvrant les yeux ce matin, j'ai découvert une rose rouge sur ma table de chevet et des chocolats. Cadeaux des copains qui sont venus me rendre visite hier. C'est Manuel qui a apporté la fleur, et Susannah les chocolats, m'informe maman. Elle a bien voulu des cadeaux mais a refusé de laisser entrer la bande sous prétexte que j'avais besoin de repos. C'est vraiment pénible d'être malade!

Mais cet après-midi, elle a promis de m'emmener en promenade. Je commence sérieusement à avoir des fourmis dans les jambes. Le matin, ma mère a pris l'habitude de travailler à la bibliothèque municipale de Barcelone et elle réserve les après-midis à des visites touristiques. Elle sera de retour pour le lunch. Depuis son départ, je rêvasse un peu. Je suis perplexe devant la rose rouge. Y aurait-il là une allusion que je devrais comprendre? Probablement pas!

14 H

Comme promis, maman est venue me chercher et nous prenons le métro Plaça de Catalunya, puis sautons dans le bus numéro 55 pour nous rendre au parc de Montjuïc, où se trouve la *fundació* Joan Miró.

Le bâtiment principal est beaucoup plus grand que je ne l'avais imaginé et j'ai les jambes encore un peu tremblantes, mais ça va. Je suis contente d'être là. En lisant les textes de l'exposition, j'apprends que « né en 1893, le peintre a été mis à la porte de son école d'art à cause de la faiblesse de son dessin ». Eh ben! Ça ne l'a pas empêché de devenir célèbre! Je me demande si je ne pourrais pas en faire autant, moi qui déteste les cours d'art plates? Celui que pratiquait Miró s'appelle l'art surréaliste naïf. En plein dans mes cordes, à mon avis! Cet artiste a aussi réalisé beaucoup de collages. Encore une fois, je crois que je pourrais faire aussi bien... Je me demande si c'est suffisamment payant pour que j'abandonne l'école et vienne m'installer à Barcelone? Miró s'est aussi consacré à la sculpture, à la céramique et à la gravure. Là, je démissionne, mais je trouve quand même que ses œuvres sont jolies sans paraître trop difficiles à réaliser... Ma mère dit que c'est une illusion et qu'il faut être un génie pour arriver à créer des choses qui semblent aussi simples à faire alors que, en réalité, c'est très difficile. C'est son point de vue!

On termine l'après-midi en flânant dans les jardins du parc où je suis déjà venue avec Manuel, le premier soir où nous sommes sortis ensemble. C'était il y a longtemps déjà, me semble-t-il. Au centre, il y a un théâtre grec tout en verdure. Il fait tellement doux aujourd'hui qu'on se croirait au mois de juin. Je voudrais que notre séjour en Catalogne ne se termine jamais! J'ai déjà tellement de souvenirs ici! J'ai même vomi dans un parc d'attractions! Euh! Bon. Ce n'est pas tellement glorieux comme souvenir, mais il y a pire, non? Quoi qu'il en soit, et même si je m'ennuie de Gino et Gina, je resterais bien ici jusqu'à la fin de l'hiver...

19 H

Pique-nique improvisé. Maman est retournée travailler en me laissant seule dans la chambre. Enfin, disons plutôt qu'elle avait un «rendez-vous d'affaires» avec Diego, oui, oui, le père de Manuel, soi-disant pour éclaircir quelque chose concernant l'histoire de Barcelone. Le fait est qu'ils ont prévu souper ensuite au restaurant. Comme elle s'inquiétait de me laisser seule à l'hôtel parce que je ne suis pas encore entièrement remise du virus que j'ai attrapé samedi, Diego a suggéré que Manuel vienne me tenir compagnie et apporte un pique-nique. Lorsqu'il frappe trois petits coups à ma porte, je réalise non seulement qu'il a les mains pleines de sacs, mais qu'il traîne à sa suite Susannah et Miguel. Hourrah!

21 H

Susannah a apporté son iPod avec toute sa musique. C'est le party! Après avoir mangé toutes les provisions fournies par Manuel, on repousse les lits le long des murs et on commence à danser au son de *Bailando por Ahí,* de Juan Magan. Mais le fun prend vraiment lorsqu'on se met à chanter tous ensemble à tue-tête *Under my Christmas missed toes* de Julian Beaver. Maaalaaaade !

Mardi 30 décembre

MINUIT

Maman arrive en compagnie d'Oscar, le type qui travaille à la réception. Alerte rouge!

— Mais qu'est-ce qui se passe ici?

— Euh! Rien. Qu'est-ce que tu veux dire? Mes amis sont là, comme prévu. C'était ton idée, non?

— Mais qu'est-ce que c'est que ce vacarme? Oscar dit que les seuls autres clients de l'hôtel se sont plaints à la réception en menaçant de quitter l'hôtel demain matin à la première heure! Vous vous rendez compte?

— Oups!

Fin de la soirée…

Mais qu'est-ce qu'on s'est amusés!

9 H

Je me suis réveillée en pleine forme, fraîche comme une rose. En parlant de rose, celle de Manuel commence à donner de sérieux signes de détresse. Comme quoi, rien ne dure toujours. Le pauvre ! J'espère qu'il ne le prendra pas mal, mais je vais devoir la jeter à la poubelle.

Je rejoins toute la bande à Plaça de Catalunya aujourd'hui vers 10 h parce qu'on a prévu aller au Parc Güell, une sorte de cité-jardin conçue par Gaudí.

11 H

Le parc et la maison qui s'y trouve sont fantastiques. Partout, on voit des mosaïques de céramique et de verre représentant des lézards et tant de choses qu'on ne sait plus où donner de la tête tellement c'est beau. Bien sûr, je trouve tout ça magnifique, mais il fait incroyablement chaud aujourd'hui ! Le vent souffle du sud et il doit faire vingt-six degrés.

— Et si on allait à la plage ?

— À la plage ?

— Ben, ouais. Y a bien une plage à Barcelone, non ?

—Oui, mais on n'a pas l'habitoude d'y aller l'hiver. Tou veux vraiment aller à la plage en plein mois dé décembre?

—Ben, pourquoi pas? On n'est pas obligés de se baigner, non?

—C'est oune idée! Allons chercher cé qu'il faut alors.

Youpi! Je vais enfin pouvoir bronzer un peu. Pas question de rentrer au Québec plus blanche que Gino!

13 H

En arrivant à l'hôtel pour me changer, j'ai la surprise d'y trouver ma mère penchée sur ses notes de travail.

—Alors, ça avance ton travail?

—J'ai pris pas mal de notes et je crois que ce sera intéressant. J'ai terminé la visite du musée de la science plus tôt que prévu et comme j'ai rendez-vous avec le père de Manuel à 14 h, je suis passée me changer. J'ai même eu le temps de livrer un article à mon journal. Et toi?

—Avec mes amis, on a décidé d'aller à la plage.

—Super! Tu sais quoi?

—Quoi?

—Oscar dit que les clients qui se sont plaints du bruit hier soir ont finalement réellement quitté l'hôtel ce matin. Jusqu'à demain, nous sommes donc les seules clientes.

—Cool!

—Toujours pas le moindre remords, hein, Juliette?

—Ben, euh... C'était une blague évidemment. Pas le moindre sens de l'humour, hein *mom*?

Elle ne semble pas vraiment me trouver drôle, effectivement, mais ça n'a pas grande importance, tant qu'elle ne me met pas en punition... Elle ne le fera pas puisque nous sommes en vacances et qu'il ne nous reste plus que deux jours. Elle est toujours plus cool et détendue lorsque nous sommes dans un pays étranger. C'est l'avantage des voyages!

—Tu mériterais que je te confine à la chambre!

—Mais tu ne le feras pas parce que c'est demain le jour de l'An, hein, ma petite-maman-que-j'aime-tant?

13 H 15

J'enfile un short et un t-shirt sur mon mini-maillot quand, tout à coup, un immense tapage résonne dans la cour intérieure. On entend des éclats de voix et même des cris. Interloquées, maman et moi nous interrompons, puis...

—Ben voyons! Qu'est-ce qui se passe? Ouvre donc la porte, juste pour voir!

—J'ai entendu des cris. Ça me fait peur. Ouvre-la toi-même!

Le cœur battant, je me réfugie sur mon lit tandis que ma mère se lève et se dirige vers la porte. Elle l'entrouvre légèrement, puis la referme rapidement et s'appuie contre le chambranle, blême comme un drap. Je ne mens pas!

—Il y a des hommes armés à la réception, Juliette. Ils braquent leurs fusils sur Oscar.

—QUOI?

—Je te dis qu'il y a des hommes avec des armes au poing, en bas. Il semble que nous soyons au beau milieu d'un drame!

—Tu me niaises?

En fait, elle n'a pas du tout la tête de quelqu'un qui rigole... Je me lève pour aller vers elle.

—Reste où tu es! C'est pas des farces là!

Elle a levé le ton et je vois que ses mains tremblent. Je prends le parti de me rasseoir sagement. Mon cœur bat si fort que j'ai un peu peur qu'il ne me lâche.

—Cherche vite le numéro de téléphone de la police dans l'annuaire de l'hôtel. Il est dans le tiroir du secrétaire.

Son ton est sans réplique. Je veux faire ce qu'elle me dit, mais on dirait que j'ai les jambes en coton tout d'un coup et je ne sais pas de quel tiroir elle parle. Le tintamarre s'accentue à l'extérieur et j'entends des cris de femmes. La tête me tourne. Cette fois, c'est vrai, nous sommes en plein cauchemar. Maman vient vers moi, tire le premier tiroir du meuble en face de la cheminée (ah ! c'est ça un secrétaire !) et en sort le fameux carnet sur lequel on lit *Benvingut-Bienvenido*-Bienvenue-*Welcome*. Elle le feuillette fébrilement.

—¡*Policía* ! Voilà, j'ai trouvé !

Elle saute sur le téléphone et compose le numéro. Ses mains tremblent et je sens la panique me gagner parce que si ma mère a peur, devinez comment je me sens, moi.

—On dirait que la ligne ne fonctionne pas.

Elle tape sur tous les boutons puis raccroche tout doucement, l'air catastrophé.

—Ils ont coupé le téléphone. J'ai l'impression que nous sommes dans de sales draps !

13 H 30

Il semble que l'hôtel Peninsular soit le lieu d'une prise d'otages, peut-être même d'un attentat terroriste. Aucun coup de feu n'a encore été tiré, mais Oscar est tenu en joue par des hommes armés et la ligne téléphonique a été coupée. Ni maman ni moi n'avons emporté de téléphone cellulaire parce que nos appareils nord-américains ne fonctionnent pas ici, en Espagne. Résultat? Nous sommes impuissantes et retenues dans nos chambres.

—Ils ont l'air de quoi, maman?

—Ils semblent plutôt jeunes, mais c'est difficile à dire parce qu'ils portent des foulards rouges sur la figure. J'en ai aperçu deux, mais il y en a peut-être d'autres.

Ça y est, on va mourir! Ça s'peut-tu? Je n'ai encore jamais vu Julian Beaver en spectacle! Ni sauté en parachute! Ni nagé avec des requins! Ni participé à des Jeux olympiques ou possédé de maison sur la plage de Malibu! Et encore moins vu la plage de Barcelone…

Mauvais présage, nous entendons encore un vacarme épouvantable ainsi que des cris de femmes. Sans doute les femmes de ménage qui ont été attrapées par les bandits. Perdues dans nos pensées respectives, ma mère et moi nous serrons très fort l'une contre l'autre, mais au bout d'un moment, maman dit qu'il vaut peut-être mieux savoir ce qui se passe. Elle se lève et entrouvre de nouveau la porte. Je me sens trop seule sur mon lit !

—Pis ?

—Il y a trois autres hommes et ils retiennent les deux femmes de ménage et la cuisinière. Ils questionnent Oscar pour savoir s'il y a d'autres personnes dans l'hôtel et celui-ci fait signe que non. Brave Oscar ! Il dit que tout le monde est sorti ou a quitté l'hôtel ce matin et qu'il n'attend pas de nouveaux clients avant 15 h. Ils ont barricadé la porte d'entrée avec tous les meubles qu'ils ont trouvés. Mais attends, j'entends du bruit qui semble venir de l'extérieur.

Ma mère referme rapidement la porte de la chambre. Comme elle, j'entends un raffut terrible. Des gens frappent en effet dans la porte d'entrée en hurlant :

—¡ Policía ! ¡ Abran la puerta ! Police ! Ouvrez la porte !

—C'est la police, dit maman, toujours aussi perspicace. Nous sommes sauvées.

Le hic, c'est que ce n'est pas aussi simple que cela.

—Et s'ils n'ouvrent pas ?

—Ils n'ont pas l'air partis pour ouvrir gentiment. T'as raison.

Découragée, elle vient me rejoindre sur le lit.

—J'ai besoin de réfléchir à la situation.

Malheureusement, les seules issues à notre chambre donnent sur la cour intérieure. Il n'y a pas d'autres fenêtres. Encore moins de seconde porte.

—Et si on sortait doucement de la chambre et qu'on essayait de se glisser vers l'entrée de la cuisine, à l'autre bout de la cour intérieure ?

—Pour attirer l'attention avec le bruit de nos pas et ameuter toute la bande des terroristes ? Non merci ! Nous sommes archivisibles d'ici et ils risqueraient de nous rattraper bien avant qu'on atteigne la sortie. T'as une autre idée ?

Son ton est impatient, presque brusque. Les larmes me montent aux yeux.

—Il doit pourtant y avoir un moyen de déguerpir ! Et puis, on va bientôt avoir faim…

—Pauvre petite chérie ! Excuse-moi. Viens ici. Je suis désolée…

Je me réfugie de nouveau dans ses bras.

Je fais un vœu: Mon Dieu, faites qu'on vienne nous délivrer et que personne ne nous fasse de mal en attendant! Si vous m'exaucez, je ne me plaindrai plus jamais de manquer de vêtements!

Ma mère fait maintenant les cent pas dans la chambre, mais j'ai peur que quelqu'un l'entende et je suis paralysée de terreur. Je pense à Gina et à Gino que je ne reverrai peut-être jamais, à mon père que je ne connais pas et que je ne suis pas à la veille de connaître comme c'est parti là, à Susannah, à Manuel et à Miguel qui m'attendent au coin de la rue. MAIS OUI! Ils doivent effectivement m'attendre depuis un moment déjà. Mon iPod tinte. C'est sûrement mes copains!

Manuel: Ça va, *Julietta*?

Moi: Manuel! Il y a des terroristes dans le hall de l'hôtel. Ma mère et moi sommes enfermées dans notre chambre. On ne peut pas sortir de peur qu'ils s'aperçoivent que nous sommes là!

Manuel: Je sais. Il y a pas mal de curieux à l'extérieur. *¡Probrecita!* Nous sommes tous très inquiets. Ils ne t'ont rien fait?

(Mes doigts tremblent et j'ai peine à composer les mots sur mon mini-clavier.)

Moi : Non. Je vais bien. Ils ne savent pas que nous sommes là. Ils ont séquestré Oscar, le garçon qui travaille à la réception, deux femmes de ménage et la cuisinière. Nous sommes dans notre chambre.

Manuel : Bien. Restez cachées. J'avertis la *policía* que les bandits ne savent pas que vous êtes dans l'hôtel et je téléphone à mon père pour qu'il vienne me rejoindre. On trouvera bien une solution tous ensemble ! Je te recontacte dans un moment.

Moi : Attends !

Manuel : Je te reviens dès que j'ai fait tout cela, *amiga*. Courage !

Moi : D'accord. À tout à l'heure.

— À qui écrivais-tu ? me demande maman.

— À Manuel. Il est dehors. Il va avertir les policiers que nous sommes là et demander à son père de venir le rejoindre.

— Je ne suis pas certaine que la présence de Diego nous sera très utile.

— Bah ! Tu pourrais être surprise.

C'est fou ce qu'elle peut parfois être pessimiste, ma mère. Vivement que je sorte d'ici ! Pas question que je rate irrémédiablement mon après-midi de plage, moi! Je jette un œil à la poubelle où j'ai balancé la rose que m'a offerte Manuel. La femme de ménage l'a vidée ce matin après mon départ. J'aurais peut-être dû la garder un peu plus longtemps finalement. La faire sécher, je ne sais pas…

14 H 30

Manuel: Tu es là, *Julietta*?

Moi: Je suis toujours là, oui. Tu es avec Susannah et Miguel?

Manuel: Non. La mère de Susannah l'a sommée de rentrer à la maison. Elle est très ébranlée. Miguel l'a raccompagnée. Mon père arrive, par contre. Pas de nouveau de ton côté?

Moi: Non.

Manuel: Je suis en face de l'entrée principale de l'hôtel. Je ne peux pas trop m'approcher, mais tout à l'heure, j'ai pu écouter attentivement ce que se disaient les policiers entre eux. Les terroristes sont en fait des voleurs. Ils ont dévalisé la succursale de la Banco Popular, non loin de votre hôtel, et le hold-up a mal tourné. Ils se sont réfugiés à l'hôtel et exigent un hélicoptère en échange des personnes qu'ils ont prises en otages. Ça va mal !

Moi : Qu'est-ce qu'on va faire alors ?

Manuel : Je ne sais pas, *mi hermosa amiga*. Ta mère et toi ne devez surtout pas attirer l'attention. Restez bien tranquilles. J'ai averti les policiers de votre présence. Ils me demandent de vous dire de ne pas faire de folies.

Moi : Pas de danger. Mais je suis hyper déçue de ne pas pouvoir aller à la plage !

Manuel : *¡ Querida !* On ira à la plage une autre fois.

Moi : Vraiment ?

Manuel : C'est promis.

Au fait, ça veut dire quoi qu'il m'ait appelée *mi hermosa amiga*, ma belle amie, puis *querida*, chérie ? Qu'il s'intéresse vraiment à moi ou qu'il souhaite réconforter le pauvre otage que je suis ? Mystère.

15 H

Une chose est sûre, je suis littéralement en train de mourir de faim ! Je me demande comment fait

147

maman pour tenir. Quand je ferme les yeux, je vois des spaghettis dégoulinants de sauce bolognaise. Je m'apprête à demander à ma mère si elle a une idée de ce qu'on va pouvoir manger lorsqu'elle se met soudain debout avec l'air d'avoir découvert comment on fabrique l'électricité.

— J'ai trouvé.

— T'as trouvé quoi ?

— Comment sortir d'ici, chérie.

— Je peux savoir ?

— Tu te souviens de ce que je t'ai dit quand nous sommes arrivées la semaine dernière ?

— C'est que tu m'as dit pas mal de choses depuis une semaine, ma p'tite maman...

— Juliette, cet hôtel comporte un tunnel médiéval qui va de l'hôtel à l'église de Sant Agustí.

— Et ?

— Il faut trouver ce souterrain ! Envoie vite un message à Manuel et à son père avec ton truc !

— Qu'est-ce qu'ils ont à voir là-dedans ?

— Diego peut peut-être nous aider !

— Eh ben voilà ! Qu'est-ce que je disais ?

Moi : T'es là, Manu ?

Manuel : Bien sûr.

Moi : Ton père est près de toi ? Ma mère aimerait lui parler.

Manuel : OK.

Diego : Marianne ?

Moi : C'est Juliette. Je passe mon iPod à ma mère, monsieur Gaudí.

Ma mère : Diego ?

Diego : Je suis là ! Tu as besoin de moi ?

Ma mère : Oui, j'ai besoin de toi. Suis-moi attentivement, Diego. Il paraît qu'il existe un tunnel qui part de cet hôtel et va rejoindre l'église de Sant Agustí, juste derrière ?

Diego : J'ai effectivement déjà entendu cette histoire, mais personne n'est là pour le confirmer. À quoi penses-tu exactement ?

Ma mère : Si je peux trouver ce tunnel, en plus de permettre à Juliette et moi de nous échapper, ça donnera aux policiers la possibilité de prendre les malfaiteurs par surprise, et d'entrer dans l'hôtel par une autre issue que l'entrée principale ou la porte de la cuisine. D'après ce que j'ai compris, il y a un voleur posté à chacune des issues de secours. L'employé de la réception, les deux femmes de ménage et la cuisinière ont été ligotés sur des chaises dans la cour intérieure et un des hommes les surveille. Si les policiers enfoncent une des portes, je ne donne pas cher de la peau de ces malheureux !

Diego : Je comprends, mais trouver l'entrée du tunnel ne sera pas facile. Je vais tenter de me renseigner. Un de mes collègues a fait son doctorat en étudiant les tunnels souterrains de Barcelone. Il les connaît tous. Je te reviens.

Ma mère : Fais vite, Diego. C'est la seule issue possible !

Diego : Je fais aussi vite que je peux, *carra mia*.

¡*Carra mia !* Depuis quand le père de Manuel se permet-il ce genre de petit mot doux avec MA mère ? Beurk !

17 H

Un peu découragée, je me blottis dans les bras de maman. Y a rien de mieux que les bras d'une mère quand on a peur ou qu'on s'ennuie. La faim ne me quitte pas et je suis trop nerveuse pour perdre mon temps sur Facebook... Ben quoi ? Je ne peux tout de même pas mettre « Retenue en otage » comme statut ? Ça ferait bizarre quand même... Avec un sens du *timing* extraordinaire, ma mère sort de son sac à main une barre de chocolat noir qu'elle garde en réserve pour les coups durs. Nous mangeons chacune notre moitié en silence. Y a-t-il quelque chose de mieux au monde pour remonter le moral qu'une tablette de chocolat ? L'amitié peut-être… Oups ! Mon iPod se remet à tinter.

Diego : Marianne ?

—C'est pour toi, maman ! (Zut ! Ce n'est pas Manuel !)

Maman : Je suis là !
Diego : *Amiga,* mon ami dit que l'entrée de ce genre de tunnel peut se situer à peu près n'importe où dans la maison et que, de plus, il y a de fortes chances pour qu'elle soit emmurée depuis longtemps.
Maman : Il est encourageant, ton copain !
Diego : Autant que tu saches à quoi t'en tenir. Par contre, si l'entrée existe toujours, il peut s'agir d'une porte en bois. Une ancienne porte avec de très vieilles planches. Ça te dit quelque chose ?
Maman : …

151

Diego : Tu es toujours là ?

Maman : Merci, Diego.

Diego : Ne te décourage pas, *hermosa amiga*. La police est là, je suis là, Manuel est là. Nous pensons à vous ! Les choses vont s'arranger.

Maman : Oui.

Elle me repasse mon iPod avec l'air d'avoir pris dix ans en dix minutes...

21 H

Je somnole sur le lit de maman lorsque je l'entends gratter quelque chose. Penchée devant la cheminée en pierre qui trône au milieu de notre chambre, elle semble chercher à y entrer... Ça y est ! La peur lui aurait-elle fait perdre la tête ? Voilà qu'elle se prend pour le Père Noël !

— Qu'est-ce que tu fais là, maman ?

— T'as vu ces vieilles planches ? On dirait qu'elles datent du siècle dernier... La cheminée n'est plus en état de fonctionner et on en a tapissé le fond avec du bois, il y a des années. Ça me semble bizarre. Si j'arrive à dégager cette planche... je me demande si...

— Si quoi ? Maman, tu m'inquiètes, là !

—Eh bien, je me demande si ces vieilles planches ne cachent pas quelque chose, comme une entrée... Ne reste pas là, les bras ballants. Viens m'aider !

—Maman, il ne faut pas faire de bruit !

—Je sais. Mais je n'en peux plus de rester là à ne rien faire. Aide-moi à trouver un outil pour déclouer cette planche.

—Ben voyons ! J'aurai dû penser à prendre un marteau et une scie dans mes bagages avant de quitter la maison...

J'ai beau regarder autour de nous, je ne vois rien qui puisse nous être réellement utile. Et puis, soudain, une lumière s'allume dans ma tête.

—J'ai une idée !

Je me lève et saisis d'une main mon fer plat et de l'autre l'un des couteaux à beurre abandonné sur le plateau du petit déjeuner que notre femme de chambre n'a jamais pu venir débarrasser... Je glisse la lame du couteau sous la planche clouée au fond de l'âtre afin d'agrandir légèrement l'ouverture entre la planche et le fond. Il y a un léger jeu et un interstice d'environ trois centimètres apparaît. J'insère alors une des lames de mon fer plat dans l'espace ainsi dégagé pour agrandir encore l'ouverture.

Inquiète du bruit, ma mère dispose une couverture au bas de notre porte pour s'assurer que notre activité ne vienne pas aux oreilles des bandits, puis vient à ma rescousse. Empoignant le fer plat avec la même détermination que lorsqu'elle doit réparer elle-même un tuyau qui coule sous notre évier de cuisine, elle force l'ouverture jusqu'à ce qu'un côté de la planche finisse presque par céder. Le fer, lui, tient valeureusement le coup ! J'ai toujours su que ça valait la peine d'acheter un fer plat de qualité ! En y mettant toutes nos forces, nous tirons maintenant à quatre mains la planche branlante. Rien à faire ! En désespoir de cause, nous essayons encore. Les mains me font mal, mais je serre les dents. Cette fois, et avec un craquement épouvantable, la planche finit par céder. Maman et moi sommes pétrifiées ! Sans bouger, nous tendons l'oreille. Nous sommes-nous trahies ? Le bruit a-t-il été perceptible de l'autre côté de la porte ?

—Tu entends quelque chose, toi, maman ?

—Chut ! Laisse-moi écouter !

Mon cœur bat la chamade.

—On n'entend absolument rien. Rien du tout. Nous sommes sauves, je crois !

Nous poussons toutes les deux un énorme soupir.

— Voyons donc ce que cachait cette grosse planche.

À l'endroit où était clouée la planche, nous apercevons... un mur de briques. Les jambes molles, nous nous accroupissons toutes les deux au pied de la cheminée.

— Nous sommes perdues, dis-je.

— Perdues ? Peut-être pas, répond maman en se relevant brusquement. Je n'ai pas l'intention de laisser tomber.

Mon iPod se remet à tinter. C'est Manuel.

Manuel : Comment allez-vous toutes les deux ?

Moi : Pas au meilleur de notre forme. Nous avons retiré une planche au fond de la cheminée de notre chambre pour voir si elle ne cachait pas un passage secret, mais nous n'avons trouvé qu'un mur de briques...

Manuel : Qu'est-ce que c'est que cette histoire de cheminée et de mur ? Mieux vaut vous tenir tranquilles et ne pas faire de bruit, *Julietta* ! Pauvre petite ! Je suis vraiment désolé de ce qui arrive, mais c'est du sérieux. Il ne faut pas vous faire remarquer.

Moi : Y a-t-il du nouveau du côté de la police ?

Manuel : Ils négocient toujours avec les ravisseurs, mais ça n'avance pas beaucoup. Ça peut sembler décourageant, mais je suis certain que vous serez bientôt délivrées. Ne t'inquiète pas !

Moi : Oh ! je tiens le coup. T'en fais pas.

Manuel : *Julietta* ?

Moi : Oui ?

Manuel : Quand tu sortiras, j'aurai quelque chose à te dire.

Moi : Pourquoi pas tout de suite ?

Manuel : Tâche plutôt de te reposer maintenant. D'accord ?

Moi : D'accord.

Je lâche mon iPod et me tourne vers ma mère. À ma grande surprise, elle s'est remise au travail.

— Qu'est-ce que tu fais ?

— J'ai quand même l'intention de dégager ce mur de briques pour pouvoir l'examiner. Alors, je vais retirer toutes ces planches pour y regarder de plus près.

— Mais pourquoi ? Tu ne vas quand même pas t'attaquer aux briques ensuite ?

— On verra, ma choupinette. Viens m'aider, s'il te plaît !

Quand elle m'appelle ma choupinette sur ce ton, comme lorsque je n'étais qu'une toute petite fille, je fonds littéralement, alors je prends mon courage à deux mains et tire de toutes mes forces sur les planches toujours en place. Maman a placé une couverture de son lit sur les morceaux de bois pour en étouffer les craquements. Au bout d'une heure, nous avons retiré toutes les planches et ma mère peut examiner le mur avec toute l'attention possible.

—Regarde, Juliette! Le mortier de ces briques est si vieux qu'il est friable.

Elle empoigne le couteau et se tourne vers moi.

—Prends le deuxième couteau du plateau et viens m'aider!

Elle passe la lame le long du mortier qui craque, s'effrite et tombe aussi facilement que du carton.

—Ça fonctionne, Juliette! Allez! Nous allons retirer ces briques une à une et les poser juste là, sur le sol.

Sans plus réfléchir, je me mets au travail à ses côtés. Je n'ai plus du tout faim ni sommeil. Nous formons un duo d'enfer, ma mère et moi, et nous nous attaquons à ces vieilles briques avec l'acharnement de deux archéologues en train de dégager un trésor! Mais c'est un travail de moine, ou plutôt de bonne sœur, et nous en avons pour des heures avant d'en venir à bout...

Mercredi 31 décembre

MINUIT

Ma mère et moi sommes surexcitées. Une fois les briques principales retirées, l'espace dégagé laisse effectivement entrevoir un passage...

—Maman, tes mains!

Des heures d'acharnement contre ces satanées briques ont laissé les mains de ma mère en piètre état. Ses ongles sont tous cassés et le bout de ses doigts saigne.

—Ça n'a pas d'importance, ma poussinette. Regarde!

Sa voix est suraiguë. Il semble que nous ayons effectivement fait une découverte d'envergure.

—Avons-nous une lampe de poche?

—Dans le petit compartiment avant de ma valise. Vite!

Sacrée maman. Équipée comme personne! Je déniche la lampe de poche sans problème.

— La couverture devant la porte est toujours en place? Ce n'est pas le temps de nous faire repérer...

— Oui, t'en fais pas.

Nous parlons à voix très basse parce que tout n'est plus que silence alentour. C'est le moment que choisit mon iPod pour se remettre à tinter.

> Gino: Tu es là, Juliette?
>
> Moi: Oui, mais je n'ai vraiment pas le temps, là, Gino!
>
> Gino: Tu vas bien?
>
> Moi: Ça va, mais on se reparle plus tard!
>
> Gino: Je te dérange?
>
> Moi: Euh! Non, enfin, oui. Je t'expliquerai demain.
>
> Gino: À demain, alors...
>
> Moi: À demain, Gino.
>
> (Du moins je l'espère! pensé-je.)

À contrecœur, je dépose l'engin et m'apprête à rejoindre ma mère... mais il bourdonne encore.

— Juliette, viens voir! Il y a réellement un passage!

— J'arrive. Attends juste une minute, maman, c'est Manuel!

Manuel : Ça va ?

Moi : On a trouvé le passage !

Manuel : Vous avez trouvé quoi ?

Moi : Le tunnel secret, Manuel ! Nous avons travaillé toute la soirée et nous avons finalement réussi à dégager un passage qui semble partir de notre chambre pour aller je ne sais où !

Manuel : Mais qu'est-ce que tu racontes ! Tu veux dire que vous avez trouvé un passage pour sortir de votre chambre autrement que par la porte ?

Moi : C'est ce que je me tue à te répéter. On a trouvé le fameux tunnel secret. Et la police, elle fait quoi ?

Manuel : Justement, la police s'impatiente et songe à forcer l'entrée. Je m'inquiète pour votre sécurité. Ne bougez pas de là où vous êtes.

Moi : Pas question ! Nous avons assez travaillé. Nous avons bel et bien l'intention d'explorer ce fameux tunnel.

Manuel : Mais, ça peut être dangereux ! Je ne veux pas que tu prennes de risque inutile.

> Moi : Je suis désolée, mais ni ma mère ni moi n'avons l'habitude d'attendre qu'on nous dise quoi faire.

— Juliette, dis à Manuel et à son père que nous nous engageons dans le souterrain. Qu'ils avertissent la police et viennent nous rejoindre à l'église de Sant Agustí.

> Moi : Maman demande que ton père et toi veniez nous rejoindre à l'église de Sant Agustí et que vous avertissiez la police que nous nous engageons dans le tunnel. Salut !
> Manuel : Pas question ! Juliette ! Mon père veut parler à ta mère ! Juliette ! Réponds-moi ! Juliette ! Juliette !

N'écoutant que notre courage, maman et moi courbons le dos et entrons main dans la main dans l'espace que nous sommes si péniblement arrivées à dégager, armées seulement d'un iPod, de deux couteaux à beurre tout déformés, d'un fer plat et d'une lampe de poche...

— Il fait noir !

— Je sais. J'ai vu. Ou plutôt je ne vois pas grand-chose non plus, mais avec la lampe, ça ira.

— Et ça pue aussi.

— Ne fais pas attention. Respire par la bouche.

— Pour avaler de la poussière ? Non merci !

— Alors, pince-toi le nez.

— Tu crois qu'il peut y avoir des rats ?

— Je ne sais pas…

— Des araignées ?

J'ai une peur NOIRE des araignées !

— Non, pitchounette, je ne crois pas ! N'y pense pas.

Je promène la lampe de poche de droite à gauche. Des murs de pierre, beaucoup de poussière et…

—Ouais. Y a pas mal de toiles d'araignée pour un endroit où il n'y a pas d'araignées.

J'aurais dû m'en douter. Elle ne m'appelle pitchounette que quand elle n'est pas rassurée. Je lutte de toutes mes forces contre une panique grandissante.

—Ce n'est pas le moment de s'affoler, Juliette! Prends sur toi!

—Ben tiens! Qu'est-ce que tu penses que je fais là, justement!

—Regarde!

Des marches de pierre, étroites et raides, se présentent sous nos pieds.

—T'es certaine que c'est une bonne idée, maman?

Elle me serre la main plus fort et remet ça.

—On n'a pas vraiment le choix, ma pitchounette! Allez viens, t'es capable!

—C'est la dernière fois que je voyage avec toi!

—C'est ça! Allez viens, ne traîne pas!

Posant le pied sur la deuxième marche, elle s'exclame soudain:

—Juliette, tu te rends compte du privilège que nous avons?

—Euh! Je ne te suis pas. Tu parles de quoi au juste, là? De la chance qu'on a de se promener en pleine nuit dans un tunnel humide et sale avec des bandits à nos trousses? Ou du fait qu'on va sans doute bientôt devoir se battre avec une armée de rats, d'araignées ou d'autres bestioles grouillantes? Et c'est sans parler du risque de mourir noyées dans les égouts. On aura déjà de la chance si les piles de cette lampe tiennent le coup...

—Je veux dire que personne ne s'est probablement baladé ici depuis au moins un siècle et que nous marchons dans les traces de vénérables moines qui ont quitté ce monde depuis longtemps. Je me demande à quelle terrible occasion ils ont dû emprunter ce passage la dernière fois? Ça ne t'émeut pas, toi?

Ça y est, elle a probablement la larme à l'œil, je le sens à sa voix. Sacrée maman!

—Bah ouais, mais moins quand même que la pensée que si on s'attarde trop ou qu'on se perd, on risque de mourir de faim dans ce passage, dévorées par des rats encore plus affamés que nous. Allez, viens!

Nous descendons plus ou moins à tâtons une dizaine de marches encore, et nous nous retrouvons devant un autre couloir. Une forte odeur d'humidité et de moisissure nous serre la gorge.

—T'es sûre que c'est la bonne chose à faire, maman?

—Tais-toi et marche, ma pitchounette!

—Parle pour toi! Qui est-ce qui faisait de beaux discours tout à l'heure sur la chance que nous avons de nous trouver ici?

—Brrrr! Il fait un froid de canard dans ce tunnel! J'ai aussi hâte d'en sortir que toi.

À mesure que nous avançons, le tunnel me semble de plus en plus étroit. Nous marchons encore cinq bonnes minutes avant de nous trouver devant une nouvelle volée de marches.

—Ça remonte! s'exclame maman.

—Je vois, oui.

—Espérons que ça débouche quelque part.

—Manquerait plus que nous soyons emmurées vivantes.

—Ne m'énerve pas, Juliette. Peux-tu vérifier si ta connexion Wi-Fi fonctionne toujours?

—Pas le moindre signal, maman! Ne me dis pas que tu es surprise!

Plus techno-nulle que ma mère, tu meurs! Non mais, ça prend une bonne dose de naïveté pour imaginer que l'au-delà fournit une connexion sans fil aux momies ou autres vampires qui traînent dans cette cave…

—Nous y voilà!

La voix de ma mère se veut triomphante. J'espère qu'elle ne se trompe pas. La lueur de notre lampe de poche éclaire ce qui semble être une lourde porte, constituée de quatre planches, bien solides...

— T'as une idée de ce qu'il y a derrière ?

— Pas la moindre et il n'y a pas de trace de poignée.

Elle a l'air déçue. Parfois, je me demande de quelle planète elle vient.

— Pis, là ? On fait quoi ?

— La seule chose à faire, à mon avis, est de frapper pour voir si quelqu'un nous entend.

— Tu n'as pas peur que les bandits nous entendent justement ?

— Oublie les bandits, ma poussinette. Nous sommes probablement quelque part sous l'église de Sant Agustí.

Nous nous mettons à tambouriner sur les panneaux de bois, puis nous faisons une pause pour écouter. Je ne dis rien, mais je n'en pense pas moins que s'il y a un mur de briques derrière la porte, nous risquons fort de ne pas être entendues. D'autant plus qu'il est plus de minuit...

— Tu entends quelque chose, toi ?

Je tends l'oreille.

— Absolument rien !

Faisant mine de ne pas s'inquiéter, ma mère poursuit :

—Allez, mettons-y un peu plus d'énergie.

Et elle se met à hurler :

—Hé ho ! Y a quelqu'un ? Manuel ? Diego ? On est làààààà !

Nous crions et tambourinons pendant pas loin de vingt minutes avant de voir notre bel enthousiasme chuter complètement.

—T'es certaine d'avoir demandé à Manuel de venir nous rejoindre à l'église ?

—Oui, maman !

—T'es certaine qu'il t'a bien comprise ?

—Je ne vois pas pourquoi il n'aurait pas compris.

—T'es certaine que ton message s'est bien rendu ?

—Je n'ai aucun moyen de le savoir, maman !

L'angoisse menace de venir à bout de mes dernières forces. Et si Manuel et son père nous avaient abandonnées ? La police peut-elle avoir refusé de les suivre ? Si c'est le cas, ils risquent de ne pas pouvoir entrer dans l'église à cette heure… Accablées, maman et moi nous asseyons sur le sol pour nous reposer un peu. Soudain, ma mère pousse un cri de mort.

—AAAAAAHHHHHHHHHHHH !

—Mais qu'est-ce qu'il y a?

—Un rat, une souris, je ne sais pas! J'ai senti quelque chose frôler ma cuisse. Une bêêête!

—Oh! Non! MAMAAAAAAAN!

Hystériques, nous nous mettons toutes les deux à hurler. Soudain, ma mère met sa main sur ma bouche pour me faire taire.

—Écoute! J'ai entendu quelque chose. Tu entends?

Faiblement d'abord, puis de plus en plus distinctement, nous entendons effectivement des voix.

—Manuel? C'est toi?

—Diego? C'est vous?

—¿*Julietta*?

—Marrrriannnnne?

—Nous sommes là! hurlons-nous en chœur en reprenant de plus belle les coups de poing sur le panneau de bois.

—Nous vénons vous chercher. Né vous inquiétez pas, mais éloignez-vous lé plous possible afin qué les policiers pouissent faire tomber lé mour.

—Oh! Merci, mon Dieu!

La voix de ma mère remerciant le ciel est à peine perceptible, mais je comprends à la façon dont elle me presse contre elle qu'elle a eu plus peur qu'elle n'osait me l'avouer.

Lorsque la porte cède enfin, je ne sais plus si c'est de joie ou d'épuisement, mais je me mets à trembler convulsivement et c'est sans réfléchir que je me jette dans les premiers bras qui se tendent enfin vers moi.

— ¡ *Bien, bien!* ¡ *Ven acá, chiquita!* me dit gentiment et en souriant le policier couvert de poussière qui m'attrape au vol. « Viens ici, petite! »

— ¡ *Julietta!*

— Marrrrriannnnne!

Les visages de Manuel et de son père apparaissent derrière ceux des policiers. Je passe des bras de l'homme qui m'a sortie du tunnel à ceux de Manuel et, sans pouvoir me retenir, j'éclate en sanglots et me mets à hoqueter :

— Oh! Man-manuel, je suis si con-contente de te re-revoir!

— Moi aussi, *amiga*, moi aussi!

12 H

Maman et moi terminons de déjeuner chez Manuel et son père. Ceux-ci nous ont offert l'hospitalité jusqu'à ce que notre hôtel soit de nouveau en mesure de nous accueillir. Après des débuts mouvementés, la nuit s'est avérée bien plus calme et paisible que la journée et la soirée qui l'ont précédée. Après un léger repas, que nous avons dévoré jusqu'à la dernière miette, maman et moi avons partagé le même lit, dans la chambre d'amis que Diego a mise à notre disposition. Lorsque nous ouvrons l'œil, il est déjà 11 h passées. Une fois revigorées par une douche chaude, nous rejoignons nos hôtes sur la terrasse attenante à leur salle à manger. Diego nous met au courant des dernières nouvelles. Nous apprenons que les bandits ont été tous les quatre capturés lorsqu'une escouade d'une vingtaine de policiers de la Garde civile espagnole les a pris par surprise en surgissant de notre chambre, après être passés par le tunnel que nous avons découvert. L'arrestation a eu lieu autour de 2 h du matin après une altercation qui n'a heureusement fait aucun blessé. Oscar, les deux femmes de ménage et la cuisinière s'en sont tirés indemnes tout comme nous. Le père de Manuel dit aussi que c'est indéniablement grâce à notre courage et à notre détermination que toute l'aventure s'est si bien terminée pour tout le monde. Enfin, sauf pour les voleurs... Quand je vais raconter cela à l'école !

— Vous l'avez échappé belle ! répètent en chœur Manuel et son père.

— Oh ! C'est le genre de choses qui arrivent tout le temps quand je voyage avec ma mère ! Aïe ! Ben quoi !

Maman vient de me donner un coup de pied sous la table ! C'est pourtant vrai ce que je dis ! Il nous arrive tout le temps de drôles d'aventures quand nous voyageons ensemble ! Ce n'est tout de même pas de ma faute !

14 H

Manuel et son père nous raccompagnent à l'hôtel Peninsular. Une surprise nous attend après avoir tourné au coin de la Rambla et de la Carrer de Sant Pau. Il y a foule devant l'entrée, principalement des photographes et des journalistes qui se ruent sur ma mère et moi dès qu'ils nous aperçoivent. Avec les micros sous le nez et les flashs des appareils photo dans les yeux, nous ne savons plus où donner de la tête. On nous pose mille et une questions en catalan, en espagnol et en anglais. C'est un véritable cirque ! Le père de Manuel se met en colère et gesticule dans tous les sens, tentant de nous ouvrir la voie vers la porte d'entrée, mais rien n'y fait.

— *Miss Juliet, who had the idea to search the tunnel beside the hotel ?*

—Euh! *That's me...*

Ma mère paraît interloquée. Moi, je souris de toutes mes dents.

—*How did you find the courage to go into the ground? Were you afraid?*

—Euh! *Not really!*

—*Do you know that you probably saved the life of the four other people who were with the thiefs?*

—Euh!

—Viens donc un peu ici, toi! m'appelle ma mère.

Tout en remerciant Diego qui doit aller travailler, elle m'agrippe solidement le bras et me pousse dans l'entrée gardée par un agent de sécurité en uniforme. Je fais signe à Manuel que l'on se retrouvera plus tard. Il hoche la tête en souriant. Une fois à l'intérieur, je remarque tout de suite qu'Oscar n'est pas à son poste habituel. Son remplaçant sort respectueusement de son comptoir pour venir nous saluer et nous annoncer que le ménage a été fait dans notre chambre: les briques, les vieilles planches et la poussière ont été enlevées.

—Voilà qui est une bonne chose, répond ma mère.

—Ah non! Ça veut dire que l'entrée du tunnel est grande ouverte et que les rats et les araignées ont envahi notre chambre. Tu ne crois pas?

En mettant le pied dans la pièce, je constate avec soulagement qu'il n'en est rien puisqu'un panneau de bois tout neuf bloque dorénavant l'entrée du passage secret. Dommage! J'y serais bien retournée une dernière fois avec les copains... Un énorme bouquet de fleurs a été posé sur la cheminée avec une carte de remerciement de la part de la direction. Hum! J'aurais préféré des chocolats!

18 H

Après une petite sieste, je tente de me changer les idées en regardant la télé pendant que maman tape frénétiquement sur son ordi. L'hôtel a proposé de nous faire livrer quelque chose à manger plus tard ce soir avant notre départ pour la fête organisée dans l'appartement des parents de Susannah afin de célébrer l'arrivée de la nouvelle année. Sur toutes les chaînes, on voit des images de nous deux à la sortie de l'église de Sant Agustí, la nuit dernière, ou rentrant à l'hôtel, plus tôt cet après-midi. Malheureusement, on ne peut pas dire que nous sommes à notre avantage sur une seule de ces prises de vue.

—Maman, regarde ça.

—Quelle horreur! T'as vu l'allure que j'ai, choupinette! Change tout de suite de chaîne!

— Mais maman, nous sommes désormais célèbres, du moins ici, à Barcelone! Jette au moins un
coup d'œil.

— Qu'est-ce que je viens de dire, Juliette
Bérubé? Revoir ces scènes est absolument inutile!

Nous sommes sur le point de nous chamailler
quand la sonnerie du téléphone retentit. Qui cela
peut-il bien être? Nous avons fait savoir à nos amis
que nous souhaitions nous reposer jusqu'à ce soir.
Ma mère tend la main vers le récepteur.

— Allô? Hein? Oh! *No. I'm not Juliet. I'm her
mother. Who are you?*

Elle écoute avec attention puis laisse échapper
un retentissant:

— Oh! Mon Dieu! *Yessss! One moment, please!*

Elle me passe l'appareil avec un sourire fendu
jusqu'aux oreilles.

— C'est pour toi!

— C'est Susannah?

L'air de rigoler intérieurement, elle fait non de
la tête.

— Manuel, alors?

Elle continue de faire non en pinçant mysté-
rieusement les lèvres.

— La télé?

— Réponds, tu verras bien, finit-elle par lâcher.

— Allô...

—Hi! My name is Julian Beaver. Are you Juliet Berube?

OMG! OMG! OMG! OMG! C'EST UNE BLAGUE OU QUOI? Je suis bouche bée...

—Juliet?

—Euh! *Yes! I'm Juliette Bérubé. Who... who are you?* C'est une blague? C'est ça? *Is it... Is it a JOKE?*

—No. I'm Julian Beaver. The singer from Canada. I'm here in Barcelona, you know, to give a concert, and I heard on TV that a young Canadian girl did a really good job helping the police to capture some dangerous thiefs. Is that you?

OMG! C'est pas vrai? Mon cœur bat si fort qu'il menace d'éclater. Mais, au fait, pourquoi m'appelle-t-il exactement?

—Euh! *Yes?*

—I thought to invite you to come as a VIP to see my show tonight. Are you free?

J'hallucine! Je pense que je vais m'évanouir. Non. Je suis CERTAINE d'être déjà en train de m'évanouir.

—OH! *MY GOD!* Euh! Je veux dire OUI! Je suis libre. OUI! Euh! *YESSSSSSSS!*

Malgré mon excitation, je ne perds cependant pas tout à fait mon sang-froid...

—Do you think I could come with some friends?

— No problem! How many friends?

— Three?

— No problem. A driver is going to be in front of your hotel at eight o'clock tonight to pick you up. I'll be so happy to know you, Juliet!

— AHHHHHHH! I cannot wait...

Dans l'énervement, je raccroche sans faire exprès.

— Euh! Julian? Julian? Juliiiiiiaaannnnnnn?

J'ai beau tenter de rattraper le coup, la ligne a bel et bien été coupée. Je tombe dans l'unique fauteuil de la pièce.

— My God! Maman, Julian Beaver m'invite à son show de ce soir et je n'ai AB-SO-LU-MENT RIEN À ME METTRE! C'est la cata.

21 H

L'excitation est à son comble sur la colline de Montjuïc, plus précisément sous le toit métallique du Palau Sant Jordi où les fans de Julian Beaver attendent leur idole avec impatience. La première partie du spectacle, assurée par le groupe *The Mashed Potatoes*, n'est pas mal du tout, mais c'est à 22 h que les choses sérieuses commencent. En tout cas, le début de cette soirée s'est avéré féérique. Pour commencer, à 20 h tapantes, la limousine envoyée par Julian se garait devant l'hôtel Peninsular. La voiture aurait pu contenir six personnes, mais nous étions quatre en comptant Susannah, Manuel et Miguel à qui j'ai téléphoné en catastrophe après avoir parlé à Julian. Le chauffeur a été très gentil. Il nous a ouvert les portières, puis nous a offert du Coca-Cola et des friandises, et nous a expliqué comment fonctionnait la télé à bord de la limo. Comme convenu, le chauffeur nous a bien sûr conduits au fabuleux stade conçu par l'architecte japonais Arata Isozaki pour servir de pavillon de la gymnastique lors des Jeux olympiques. En voilà un qui doit être drôlement fier de savoir que Julian se produit ici ce soir ! Une fois sur place, une fille avec des écouteurs sur les oreilles et hurlant continuellement dans un mini-micro est venue à notre rencontre, encadrée par trois gardes du corps à l'air terrifiant. On nous a conduits dans un long couloir (bien éclairé celui-là) jusqu'à une porte blindée, la loge de Julian Beaver. C'était facile à deviner parce que son nom y était écrit en grosses lettres dorées. Les mains moites, le cœur battant et le corps tout entier secoué de tremblements, j'avais peur de m'évanouir au moment fatidique, c'est-à-dire quand la sublimissime porte allait s'ouvrir. Mais finalement, tout s'est incroyablement bien passé. Julian a été très cool avec moi, et avec toute la bande d'ailleurs. Quand son assistante est venue nous ouvrir, il s'est tout de suite levé de la table à maquillage où il était installé pour venir nous accueillir. Ce qui m'a d'abord surprise, c'est à quel point il est petit. Un mètre soixante-dix. Mais ce n'est pas grave, il est divinement beau, quoique tout maquillé, c'est quand même un peu difficile à dire… Quoi qu'il en soit, il a été adorable, nous a fait visiter sa loge et m'a offert sa biographie autographiée. C'est une grosse brique toute en anglais, mais ça non plus, ce n'est pas grave, je vais me débrouiller! Julian m'a questionnée brièvement sur mon aventure avec les bandits de l'hôtel Peninsular et mon séjour dans le tunnel menant à l'église de Sant Agustí. Il m'a surtout demandé quel effet ça me faisait de le rencontrer, lui. Je n'ai pas su quoi lui répondre. Lorsque son assistante est venue nous avertir qu'il était temps de quitter la loge pour permettre à Julian de terminer de se préparer, il a serré la main de Manuel et Miguel et s'est penché pour embrasser la minuscule Susannah sur la joue. Puis il m'a tendu la main. Je lui ai tendu la mienne et il m'a attirée vers lui. Quand j'ai compris qu'il allait m'embrasser, j'ai un peu paniqué. Je ne savais plus si je devais fermer les yeux pour mieux savourer le moment ou les garder ouverts afin de ne pas perdre le moindre détail de ce qui se passait. J'ai fini par choisir de les garder ouverts. Ses lèvres étaient plutôt douces lorsqu'elles ont effleuré les miennes, mais ce qui m'a surtout frappé, c'est que je n'ai rien ressenti d'autre que cette douceur. Pas le moindre petit frisson supplémentaire, pas le moindre emballement de mon cœur. Rien! Il faut dire que j'ai vécu pas mal d'émotions ces derniers temps. Faut croire que je commence à être immunisée!

C'est à ce moment, je crois, que j'ai compris à quel point maman et moi avions couru un grand risque et à quel point j'étais privilégiée d'avoir vécu cette aventure avec elle. Je me suis sentie très fière de moi. Je n'arrive peut-être pas à chanter *Under my Christmas missed toes* sans fausser, mais je suis une bonne personne. Un des gardes du corps que nous avions vu précédemment avec la fille aux écouteurs nous a ensuite accompagnés à nos places au premier rang. Wow! les meilleures places de tout le stade!

Jeudi 1ᵉʳ janvier

MINUIT

Comme je le disais, le groupe en première partie du concert de Julian était plutôt bien, mais son show à lui a été sensationnel. La musique était si forte que nous sommes dorénavant tous un peu sourds, mais ça nous est égal. Le souvenir de cette soirée restera à jamais gravé dans les mémoires, enfin en ce qui nous concerne, mes amis et moi. Même Manuel et Miguel ont paru s'amuser, surtout en voyant des dizaines de filles s'évanouir autour d'eux... C'est fou ce qu'il y a de petites natures en circulation!

—Il n'était pas trop mal cé Beaver, avouent Manuel et Miguel en souriant, mais toutes ces filles ont vraiment donné oune souper show, elles!

—Ouais...

Au moment où nous mettons le pied dehors pour retrouver notre chauffeur et notre limousine, un immense feu d'artifice éclate sur la montagne de Montjuïc. Il est minuit et nous sommes le 1er janvier ! Les milliers de couleurs des feux de Bengale et des fusées volantes éclairent simultanément le ciel, la montagne et tout Barcelone. Les gerbes d'étincelles des feux chinois explosent ensuite à l'unisson suivies des chandelles romaines. Yahooo ! Je n'ai jamais rien vu d'aussi beau ! C'est le moment que choisit Manuel pour m'enlacer et approcher ses lèvres des miennes pour le traditionnel baiser de bonne année, et c'est à cet instant précis que se produit la chose la plus surprenante qui me soit arrivée de ma vie ! Cette fois, je décide de fermer les yeux. Les lèvres de Manuel sont à la fois douces et fermes. Son baiser est impérieux, exigeant. En m'embrassant, il me serre de plus en plus fort contre lui. Mon cœur bat la chamade ! J'ai chaud, j'ai froid, je vois des feux d'artifice même avec les yeux fermés, surtout quand la langue de Miguel vient doucement écarter mes lèvres. Lorsque je rouvre les yeux et que son étreinte se relâche, j'ai l'impression d'avoir rêvé…

—¡ *Feliz año nuevo* ! Bonne année, *Julietta*.

—Bonne année, Manuel.

1 H

Le chauffeur nous a laissés devant la porte de l'immeuble de Susannah. Ses parents donnent une somptueuse réception et tout le monde est invité. Ma mère et le père de Manuel sont déjà là lorsque nous débarquons. Il y a des tonnes de bonnes choses à manger, de la musique à tue-tête et on s'amuse follement. Jamais eu autant de plaisir de ma vie un 1er janvier. Oh! Comme je voudrais que cette nuit ne finisse jamais!

11 H

Rush de bouclage de bagages. C'est un lendemain de veille un peu abrupt étant donné que maman et moi ne nous sommes pas couchées et n'avons donc pas fermé l'œil de la nuit. Ça influe légèrement sur le caractère de ma mère, alors que moi je suis toujours aussi zen ☺. Par contre, je ne comprends pas ce qui s'est passé, mais il semble que ma valise a rapetissé depuis notre arrivée à Barcelone. Sinon, comment expliquer que je n'arrive plus à y faire entrer mes affaires? Ce n'est quand même pas les deux ou trois trucs achetés chez El Cortes Inglés qui font la différence! Enfin, j'ai le temps puisque notre avion décolle à 15 h et que nous attendons la mère de Susannah qui a offert de nous accompagner à l'aéroport international El Prat.

11 H 30

On frappe à la porte. Pas déjà Susannah et sa mère ? Maman, qui semble au bord de l'attaque d'apoplexie et court de la salle de bain à sa valise depuis plus d'une heure, ne semble même pas avoir entendu. Heureusement que je suis là ! À ma grande surprise, j'ai la gorge serrée en ouvrant la porte et je ne peux pas empêcher mes larmes de monter en les voyant. Je me jette dans les bras de mon amie.

— Tu vas TELLEMENT me manquer, Susannah !

— Toi aussi, *Julietta*, ma Canadienne préférée !

Elle me serre si fort qu'elle me fait presque mal.

— Tu en connais une autre ?

— Une autre quoi ?

— Canadienne.

Elle rit.

— Non, mais tou séras toujours *especiale* dans mon cœur, même si j'en rencontre mille !

Ma mère paraît tout aussi émue en étreignant Luz. À nous quatre, on aurait transformé la pièce en piscine pleine de larmes si ma génitrice, la très chère, ne nous avait pas ramenés à l'ordre avec sa petite voix suraiguë des mauvais jours :

—Allez, allez, les filles ! Reprenons-nous. Juliette, finis de boucler ta valise, on ne peut pas se permettre de manquer cet avion...

—Jé vais l'aider, madame Bérubé ! acquiesce gentiment Susannah.

Toujours aussi futée, elle a l'idée de s'asseoir sur ma valise pendant que je me démène avec la fermeture éclair qui en fait le tour. Ça fonctionne, mais je ne suis pas certaine que les coutures tiendront le coup tout le voyage ! Puis, c'est l'heure de partir. Avant de refermer la porte, je jette un dernier coup d'œil à notre chambre et à la cheminée de pierre. Je ne suis pas près de l'oublier celle-là !

12 H

En arrivant dans le hall, nous avons la surprise de trouver Manuel et son père qui nous attendent. Là, c'est trop. Je me mets carrément à sangloter quand Manu me prend dans ses bras. On dirait que je deviens aussi pleurnicharde que ma mère en vieillissant ! Il faut dire qu'il n'en mène pas large lui non plus.

—Jé né t'oublierai jamais, *Julietta* !

— Moi non plus, Manu! De toute façon, il faudra bien que je revienne puisque je n'ai jamais vu la plage finalement.

Il sourit, mais il a une mine un peu triste quand même.

— J'y compte bien! Dès qué jé lé pourrai, j'irai moi aussi té rendre oune pétite visite au Canada!

— Ce serait tellement chouette! Je t'attendrai. Tu m'écriras?

— Tous les jours!

— J'te crois pas!

— Jé té lé dis!

— Non!

— Si!

— Alors, je te crois!

Même Diego semble ému lorsqu'il embrasse ma mère. Quant à elle, je n'ai jamais rencontré femme plus calme de ma vie. Elle en a vu d'autres, on dirait! Il faut dire que si elle veut réellement que nous fassions le tour du monde avant ses cinquante ans, nous devrons nous habituer à dire adieu...

15 H

Le commandant de bord vient d'annoncer que nous arriverons à destination à 22 h, heure de

Barcelone, et 16 h, heure du Québec. Je n'en peux plus tellement j'ai hâte de revoir notre chez-nous. Dire que je vais dormir dans mon lit ce soir! Je vais demander à maman si Gina peut venir à la maison. Ah! non! Ma grand-mère nous attend pour souper. J'espère juste qu'on ne mangera pas de tourtière au tofu ou quelque chose de pire! Je meurs d'envie de bons spaghettiiis!

Sur les pas de Juliette

MINIGUIDE DE TA VISITE À BARCELONE

Située en Espagne, la Catalogne occupe à peu près 6 % de la superficie totale du pays et se trouve au sud de la France. Ses habitants y parlent le catalan, qui en est la langue officielle, ainsi que le castillan (plus communément appelé espagnol). Barcelone, la capitale, est la deuxième ville d'Espagne en fait de population et d'activités, derrière Madrid, et est aussi un important port de mer. On y recense environ 4 millions d'habitants alors que près de 8 millions de touristes et visiteurs y font un séjour chaque année. Et pour cause ! Il y a une quantité de choses intéressantes à voir et à faire à Barcelone. Chacun, petit ou grand, est susceptible d'y dénicher de quoi faire son bonheur. Suis-moi pour en savoir davantage !

ARRIVER À BARCELONE

L'aéroport d'El Prat de Llobregat est situé à une douzaine de kilomètres du centre-ville de Barcelone. Le terminal A est réservé aux vols internationaux en provenance des pays non européens alors que le terminal B accueille les avions arrivant d'Europe. Un kiosque de l'office du tourisme se trouve au rez-de-chaussée des deux terminaux. Je te conseille de passer y prendre un plan gratuit de la ville. Ne te gêne pas pour y demander les renseignements dont tu as besoin, les employés sont généralement polyglottes.

SE RENDRE EN VILLE

L'Aerobús est la ligne de bus qui relie l'aéroport au centre de Barcelone, 365 jours par an. En 35 minutes environ, ta famille et toi pourrez vous déplacer de n'importe quel terminal de l'aéroport jusqu'au centre-ville. Le trajet comporte des arrêts aux points stratégiques de Barcelone. Si vous préférez prendre un taxi, ceux-ci sont noirs et jaunes, et facilement reconnaissables. Une lumière verte sur le toit signifie que la voiture est libre.

SE DÉPLACER

À Barcelone, nombre de déplacements entre les divers lieux touristiques peuvent se faire à pied. Pour les trajets plus longs ou pour se rendre d'un quartier à l'autre, le métro est très efficace. Le scooter et le vélo sont rois puisque la ville est en grande partie plate et qu'ils permettent de se glisser facilement à travers la circulation automobile. Tu en verras partout ! Des pistes cyclables sont aménagées le long de plusieurs artères principales et l'une d'elles longe une grande partie du front de mer. Il est même possible de monter dans le métro avec ton vélo, excepté pendant les heures de pointe... Enfin, les deux lignes de banlieue des Ferrocarrils de la Generalitat de Catalunya (FGC) sont fort utiles. Au départ de Plaça de Catalunya, l'une des deux dessert la montagne de Tibidabo où se trouve le parc d'attractions.

VISITER

Comme moi, tu ne dois pas manquer de visiter les trois principaux quartiers touristiques de Barcelone que sont Montjuïc, la Ciutat Vella et Eixample.

La Ciutat Vella (la vieille ville) et Port Vell (le vieux port)

Dédale de rues étroites, la vieille ville, ou Ciutat Vella, est l'un des centres-villes médiévaux parmi les plus grands et les plus beaux d'Europe. La célèbre avenue de la Rambla traverse le quartier d'un bout à l'autre.

Sur le front de mer, des plages ont été créées près du Port olympique pour les Jeux de 1992. L'eau y est trop froide pour se baigner en hiver, mais elle est délicieuse en été !

▪ LE BARRI GÒTIC (QUARTIER GOTHIQUE)

Il s'agit de la plus ancienne partie de la vieille ville. La cité médiévale s'est constituée autour du noyau de l'antique ville romaine. Attention de ne pas te perdre dans ce dédale de petites rues étroites et tortueuses, voire mystérieuses et recelant de surprenantes petites places ! C'est dans ce quartier que se trouvent la Plaça Sant Jaume, où a lieu le marché de Noël, ainsi que la magnifique cathédrale gothique, où les Barcelonais dansent la *sardana* tous les dimanches, à midi. On y trouve également le Palau de la Generalitat, siège du Parlement catalan, juste à côté de la Casa de la Ciutat, l'hôtel de ville. Ces superbes bâtiments sont tous d'origine médiévale. À quelques pas de là se situe le Palau Reial Major (palais royal), où Ferdinand et Isabelle de Castille reçurent Christophe Colomb à son retour des Amériques, en 1492 (Plaça del Rey). Tout près subsistent également deux fragments de l'enceinte de Barcino, datant de l'époque romaine, soit des IIIe et IVe siècles après Jésus-Christ. Ce sont les mieux conservés de Barcelone. Enfin, le Museu d'Història de la Ciutat, installé dans une demeure de style gothique, illustre l'histoire de la ville depuis le Moyen Âge alors que son sous-sol contient lui aussi des vestiges d'édifices romains. Wow!

Plaça del Rey
Palau de la Generalitat. Plaça Sant Jaume, 4
http://www.museuhistoria.bcn.cat

La *sardana*

La *sardana* est la danse traditionnelle catalane et constitue un bon exemple du désir des Barcelonais de perpétuer leur culture ancestrale. Tous les dimanches à midi, nombre d'entre eux, jeunes et vieux, se rassemblent devant la cathédrale pour la danser au son de la *cobla*, l'orchestre traditionnel. Les danseurs forment un cercle fermé en se tenant par la main, alternant si possible un homme et une femme, mais pas obligatoirement. Puis les danseurs entament une série de pas vers la droite, font un pas en arrière, et repartent vers la gauche. Quand le rythme de la musique s'accélère, les pas deviennent plus compliqués et les danseurs lèvent les bras. Lorsque de nouveaux danseurs viennent se joindre au groupe, une place leur est faite sans interrompre la danse. On dit que, à l'origine, la *sardana* du dimanche était surtout dansée par les hommes pendant que leurs épouses étaient appelées à d'autres tâches. Ce n'est plus le cas aujourd'hui. Allez, ne sois pas timide et joins-toi au groupe!

▪ LA RAMBLA

L'avenue historique que l'on appelle la Rambla s'étend depuis la Plaça de Catalunya jusqu'au Monument a Colom, à l'entrée de Port Vell. C'est une longue promenade ombragée où il fait bon flâner. L'été, il n'est pas rare d'y croiser des familles entières, jeunes enfants compris, très tard le soir. Les piétons y sont rois et elle est jalonnée de cafés, de restaurants, de kiosques à journaux et de marchands de fleurs. On y trouve même un marché aux oiseaux! En fait, la coutume subdivise la Rambla en cinq sections, dont chacune porte un nom différent: Rambla de Canaletes, Rambla dels Estudis, Rambla de Sant Josep, Rambla des Caputxins et Rambla de Santa Monica. Il est très agréable de circuler d'un bout à l'autre de cette voie où l'achalandage est constant, le jour comme le soir. Les musiciens ambulants et autres artistes de rue y sont nombreux. Fais attention aux pickpockets cependant! Ils y sévissent également en grand nombre.

▪ LA BOQUERIA

Une visite à la Boqueria, l'immense marché couvert de la Rambla, te plaira certainement et te permettra de te familiariser avec les plaisirs gourmands des Barcelonais. Les halles sont abritées par une magnifique verrière en fer forgé datant de la fin du XIXe siècle. Emmène tes parents voir et sentir les étalages de produits locaux, de fruits, de légumes, de pain, de miel, de fromages et de centaines d'autres douceurs qui se déclinent en une orgie de couleurs.

Rambla, 91

http://www.boqueria.info

▪ LE MUSEU PICASSO

Ce musée, l'un des plus populaires de la ville, occupe trois bâtiments d'anciennes et élégantes demeures bourgeoises construites au Moyen Âge. Il permet de découvrir les premiers travaux de ce grand artiste dont le talent s'affirma dès les débuts de l'adolescence. Le fonds de la collection comprend 3 000 pièces parmi lesquelles des toiles mais aussi des dessins, des gravures et des céramiques. Bien qu'il mette l'accent sur les jeunes années de l'artiste, le musée présente suffisamment d'œuvres des périodes suivantes pour te donner une bonne idée de la diversité du génie de Picasso.

Carrer de Montcada, 15-23

http://www.museupicasso.bcn.cat

▪ PARC DE LA CIUTADELLA

Véritable poumon vert de Barcelone, ce parc magnifique est peuplé de perroquets multicolores. Il offre aux visiteurs des allées bordées de palmiers et d'orangers ainsi qu'une spectaculaire fontaine et même un petit lac où l'on peut canoter. C'est aussi le rendez-vous des amateurs de patin à roulettes et des *skaters* qui y trouvent un espace où pratiquer leurs cascades. Enfin, il abrite aussi le Parlement de Catalunya, où se réunissent les élus, le Musée d'art moderne de Catalunya et le Zoo de Barcelona. Ce dernier est surtout réputé pour ses primates. Voilà un endroit idéal pour s'adonner à un concours de grimaces !

Carrer de Wellington
http://www.zoobarcelona.cat

▪ MONUMENT A COLOM

Érigé à l'entrée du port pour l'Exposition universelle de 1888, le monument à Christophe Colomb, haut de 60 mètres, marque l'endroit où le célèbre personnage débarqua en 1493, à son retour des Amériques, avec six habitants des Caraïbes. En haut de la colonne, la statue représente l'explorateur, pointant un doigt vers la mer. C'est le point de départ obligé de toute exploration du front de mer !

Plaça del Portal de la Pau

▪ LE MUSEU MARÍTIM

Si tu aimes les bateaux et la navigation, tu adoreras ce musée dans lequel on peut admirer la reconstitution d'une galère de combat, c'est-à-dire le vaisseau de Don Juan d'Autriche lors de la bataille de Lépante qui opposa la chrétienté aux Turcs, en 1571. Malade !

Avinguda de les Drassanes
http://www.mmb.cat

▪ PORT VELL

Tout au bout de la Rambla, le vieux port de Barcelone sert de quai de débarquement aux passagers des paquebots qui s'arrêtent à Barcelone. Au bout du quai d'Espagne, un complexe de boutiques et de restaurants, un cinéma IMAX et le plus grand aquarium d'Europe attendent les visiteurs. Les terrasses des cafés installées au soleil offrent une vue du port magnifique et il est agréable de s'y asseoir, ne serait-ce que pour regarder les gens déambuler. Qui sait, peut-être auras-tu la chance d'apercevoir une vedette? Il paraît qu'on y croise constamment des célébrités!

http://www.marinaportvell.com

▪ PORT OLÍMPIC

Le port Olímpic est sans doute l'aménagement le plus spectaculaire issu des grands travaux réalisés pour les Jeux olympiques de 1992. C'est aujourd'hui une marina haut de gamme. N'oublie surtout pas ta crème solaire et ton maillot. Le long d'une promenade bordée de cafés et de restaurants s'étendent 4 kilomètres de plage où il fait bon se prélasser, faire du patin à roulettes, se baigner ou se faire dorer au soleil. Ermite s'abstenir… Il y a foule!

http://www.portolimpic.es

Plaça de Catalunya

Au nord de la Rambla, à la frontière entre la Ciutat Vella et Eixample, la très agréable Plaça de Catalunya est le point de départ de toute exploration de la ville. C'est une vaste place ornée de fontaines et de statues et qui est surtout fréquentée par les jeunes, les touristes et les amuseurs publics. Le grand magasin El Corte Inglés se situe à cet endroit ainsi qu'un point de service de l'office du tourisme de Barcelone.

http://www.barcelonaturisme.com

Eixample

Le chic quartier Eixample, où habitent Susannah, Manuel et Miguel, mes copains catalans, a été construit sous l'influence du modernisme, au milieu du XIXe siècle. À l'époque, le quartier Eixample, ou «Extension» en français, était un tout nouveau quartier, l'un des premiers à l'extérieur de la cité médiévale. Il se voulait moderne et aéré, avec de larges avenues se démarquant tout à fait des petites rues étroites du Barri Gòtic. Le Passeig de Gràcia, la rue la plus célèbre, est bordé de magnifiques édifices et de boutiques de luxe. Une promenade dans ce quartier, situé tout près de la Plaça de Catalunya, s'impose absolument! Commence tout de suite à mettre ton argent de poche de côté cependant, les prix n'y sont pas modestes.

- ## LA CASA MILÀ

La façade tout en courbes, conçue par l'audacieux Antoni Gaudí entre 1905 et 1910, a rendu célèbre cet immeuble d'habitation, qu'on appelle aussi la Pedrera. Haut de huit étages, il ressemble à une immense sculpture de pierre posée sur la mer du ciel, et balayée par des vagues ou rongée par la mer. Me crois-tu si je te dis qu'il ne comporte aucune ligne droite ? Le toit possède une terrasse d'où la vue est spectaculaire et dont les cheminées ont l'air de têtes de guerriers. Bref, il ne faut pas quitter Barcelone sans l'avoir visité. Tu vas adorer cet endroit. Parole de Juliette !

Passeig de Gràcia, 92
http://www.lapedrera.com

- ## LA CASA BATTLÓ

Tout près de la Predera, la Casa Battló, qui semble carrément sortie de Disney World, est une autre création féérique de Gaudí. La maison a un toit de céramique ondulant comme un serpent et ses balcons ont la forme de masques. On peut aussi la visiter.

Passeig de Gràcia, 43
http://www.casabatllo.es

- ## LA SAGRADA FAMÍLIA

Le chef-d'œuvre d'Antoni Gaudí, la Sagrada Família, est une église, certainement la moins conventionnelle que l'on puisse imaginer ! Le maître commença à y travailler en 1883 et ne l'avait toujours pas achevée au moment de sa mort, tellement le projet était ambitieux. Les gens viennent du monde entier pour la visiter. Attention, en été, la file d'attente pour y entrer est souvent aussi impressionnante que le bâtiment est spectaculaire...

http://www.sagradafamilia.cat

Le modernisme

À la fin du XIXᵉ siècle, une génération d'architectes barcelonais de talent inventèrent un nouveau style d'architecture inspiré de l'Art nouveau français, mais conjugué à la catalane. Il s'agissait à l'époque d'une toute nouvelle façon de concevoir l'esthétique des immeubles et édifices publics. On a appelé ce courant le modernisme. Celui-ci se caractérise par des influences gothiques et mauresques dans la conception des maisons ainsi que dans leur décoration intérieure et extérieure, inspirée par la nature. La riche bourgeoisie de l'époque a adopté avec enthousiasme ce nouveau courant et cet engouement a permis d'ériger certains des plus beaux bâtiments de Barcelone, en particulier dans Eixample. Les architectes Antoni Gaudí, Lluís Domènech i Montaner, Puig i Cadalfach et Josep Maria Jujol en sont les principaux représentants.

Montjuïc

Au sud de la ville, la colline de Montjuïc, dont le nom signifie « mont des Juifs », s'élève à 213 mètres et constitue le plus vaste espace de loisirs imaginable. On y accède généralement par funiculaire ou téléphérique. En prévision des Jeux olympiques de 1992, de superbes équipements sportifs ont été construits, mais on y trouve également des jardins, des musées et bien d'autres choses.

■ LE MUSEU NACIONAL D'ART DE CATALUNYA

Ce musée, construit pour l'Exposition internationale de 1929, abrite les plus prestigieuses collections d'art de Barcelone, dont la plus riche collection de peintures murales du début du Moyen Âge de toute l'Europe, ainsi que des tableaux de grands maîtres tels El Greco et Velázquez. L'Exposition internationale de Barcelone a eu lieu sur la colline de Montjuïc du mois de mai 1929 au mois de janvier 1930. Une vingtaine de nations européennes y ont participé. Aujourd'hui, des cascades d'eau descendent en terrasse entre le Museu Nacional et la Font Màgica, une immense fontaine conçue pour la même exposition. Les soirs d'été, ces jeux d'eau s'illuminent sur fond d'accompagnement musical pour offrir un magnifique spectacle son et lumière. C'est magique !

Parc de Montjuïc
http://www.mnac.cat

LE MUSEU D'ARQUEOLOGIA DE CATALUNYA

Installé dans un édifice de style néo-Renaissance, le musée archéologique présente une admirable collection d'objets trouvés sur le sol catalan témoignant de l'ancien monde, de l'époque préhistorique jusqu'à celle des Wisigoths en passant par les Grecs et les Romains.

Passeig Santa Madrona, 39-41
Parc de Montjuïc
http://www.mac.cat

LE CASTELL DE MONTJUÏC

Cette immense forteresse, construite au XVIIIe siècle, couronne le sommet de la colline de Montjuïc. On y accède par téléphérique. De là-haut, la vue de la ville et du port est spectaculaire. Le château, qui a servi de prison et de lieu d'exécution (brrr... ça donne froid dans le dos!), abrite aujourd'hui un musée militaire et présente, entre autres choses, une intéressante collection d'armes anciennes.

Carretera de Montjuïc, 66
Parc de Montjuïc
http://www.castillomontjuic.com

L'ESTADI OLÍMPIC DE MONTJUÏC

Le stade olympique de Barcelone a été construit en 1936 et agrandi pour les Jeux de 1992 afin de pouvoir accueillir 70 000 spectateurs. Sa façade néoclassique est magnifique. Juste à côté se trouve le Palau Sant Jordi, un stade couvert conçu par l'architecte japonais Arata Isozaki où se produisent nombre de vedettes du rock.

Avinguda de l'Estadi
Parc de Montjuïc

▪ LA FUNDACIÓ JOAN MIRÓ

Les œuvres du peintre Joan Miró sont à l'honneur dans ce superbe édifice où la lumière naturelle crée l'éclairage approprié aux dessins, lithographies, peintures, sculptures et tapisseries qui y sont exposés.

Parc de Montjuïc
http://www.fundaciomiro-bcn.org

À l'extérieur du centre-ville

▪ CAMP NOU

Camp Nou est le plus grand stade de soccer d'Europe (on dit *fútbol* en catalan) et un monument à la gloire du club FC Barcelona (Barça pour les Barcelonais), fondé en 1899. *Més que un club* (Plus qu'un club) est la devise du Barça qui est le symbole le plus populaire de la fierté et de la résistance catalanes devant l'adversité, incarnée par le Real Madrid. Le stade peut accueillir 98 000 spectateurs assis et 17 000 debout. Le musée attenant au stade est sans doute le plus populaire de la ville ! Il possède une boutique de souvenirs très fréquentée et présente entre autres les nombreux trophées remportés par l'équipe.

Carrer d'Arístides Maillol, 12
http://www.fcbarcelonaclan.com

▪ TIBIDABO

La colline de Tibidabo est la plus haute de Barcelone (plus de 500 mètres). Le parc d'attractions qui s'y trouve est vieux de plus de cent ans et c'est ce qui fait son charme. Ne t'inquiète surtout pas, il n'y a pas seulement des vieux manèges, mais aussi des attractions récentes qui ont de quoi te faire dresser les cheveux sur la tête ! Son Museu d'Autòmats (Musée d'automates) possède une belle collection de jouets mécaniques, de marionnettes, de juke-box et de machines à boules. De quoi convaincre tes parents de t'emmener sur le site !

http://www.tibidabo.cat

▪ PARC GÜELL

Ce parc somptueux a permis à l'architecte Gaudí de mettre son talent au service du paysagisme. C'est un lieu enchanteur et magique que tu n'es pas près d'oublier. Attirés par sa beauté, des photographes professionnels du monde entier viennent en mitrailler tous les coins et recoins. Le mobilier urbain et les sentiers sont décorés de mosaïques de céramique colorées. On y voit des salamandres et toutes sortes de petits animaux sculptés. On se croirait dans le décor d'un conte de fées !

MANGER

Les Catalans aiment manger. On dit qu'on mange mieux en Catalunya que n'importe où ailleurs en Espagne. En tout cas, on y mange souvent! À l'instar des autres Espagnols, les Catalans prennent souvent deux petits déjeuners. Le premier, *el esmozar*, n'est souvent constitué que d'un café, un verre de lait ou un chocolat, avec un croissant ou une autre douceur. Entre 10 et 11 h, le second comprend généralement des œufs, des pommes de terre, du pain et parfois du jambon. À 14 h, *el almuerzo* ou *manjar* est le principal repas de la journée. On mange de la soupe (*sopes*), de la salade (*amanides*), de la viande (*carn*), du poulet (*polastre*), du poisson (*peix*) ou des fruits de mer (*mariscs*), des légumes (*verdures*) et du fromage. Vers 17 h 30, c'est *el berenar*, une sorte de goûter composé de sandwichs, de petits gâteaux ou de beignets. À partir de 19 h, c'est l'heure des tapas, et le repas du soir, *el sopar*, se prend entre 21 et 23 h, pas avant! Les poissons et les fruits de mer sont à l'honneur à Barcelone, qui est également un port maritime. Les charcuteries sont aussi très appréciées et les friandises à base de noix sont très populaires. On termine souvent son repas par une glace (*gelat*). Par quoi te laisseras-tu tenter?

ENTRÉES ET AMUSE-GUEULES

- *L'amanida catalana* est un mélange de laitue, olives, tomates, œufs durs, oignons et poivrons verts, auquel on ajoute du poisson ou du jambon et qu'on arrose de vinaigrette.

- Les *tapas* sont des petites bouchées que l'on sert dans les bars et les cafés. Ils constituent la façon la plus rapide et la plus économique de goûter à tout ce que la gastronomie catalane a à offrir. Ils prennent la forme de miniplats de fruits de mer, de jambon ou de saucisson, de beignets d'aubergine ou de poisson frit, de champignons farcis, de croquettes de fromage, d'omelette aux pommes de terre, de bouchées aux épinards, d'olives assaisonnées, de petits pains à la tomate (*boccadillo*) et j'en passe. Il y en a vraiment pour tous les goûts!

PLATS PRINCIPAUX

- La *paella* est un plat traditionnel très populaire à base de riz et de fruits de mer. On y ajoute parfois aussi du poulet. C'est délicieux!

- *L'escudella* est une sorte de pot-au-feu composé de viande braisée et de légumes. Miam!

- Le *suquet* est un ragoût de poisson et de fruits de mer accompagné de tomates et de pommes de terre.

- Les *canalons* sont des cannellonis catalans. Pour les amoureux des pâtes.

- Les saucisses et saucissons catalans sont particulièrement réputés ainsi que le jambon du pays.

DESSERTS

- La *crema catalana* est un dessert. Il s'agit en fait d'une version catalane de la crème brûlée. Tu dois absolument y goûter!

- Les *ametlles garrapyniades* sont des friandises. Il s'agit en fait d'amandes caramélisées rassemblées dans une sorte de tablette.

- Le *torró* est une autre gourmandise, proche parente du nougat, une pâte à bonbon que l'on déguste en France. Il est garni d'amandes ou de noisettes et de fruits.

- Les *churros* sont une sorte de beignets allongés, de forme cylindrique et cannelée, que l'on saupoudre de sucre. Délicieux!

BOISSONS

- Le *suc de taronja* est un jus d'orange fraîchement pressé et sucré.

- Le *batido* est une sorte de lait frappé aromatisé ou de *milk-shake*.

- Les *granissats* sont des *slushs* façon catalane.

Coût de la vie et pourboires

Barcelone est la seconde ville d'Espagne. Le coût de la vie y est élevé selon les standards locaux, mais les prix demeurent très raisonnables lorsqu'on les compare aux prix nord-américains. En général, Barcelone est d'ailleurs plus abordable que Paris ou Londres. La monnaie utilisée y est l'euro. Dans les restaurants, la loi prévoit que les prix indiqués incluent le service. La plupart des clients laissent cependant un peu de monnaie lorsqu'ils sont satisfaits, soit 5 % de la note environ. Les tarifs des hôtels et des restaurants, de même que les biens de consommation, sont sujets à une taxe sur la valeur ajoutée, l'IVA, qui varie en fonction du bien ou du service acheté.

FAIRE CONNAISSANCE

Langue romane issue du latin et très proche du provençal (la langue parlée en Provence), le catalan est la langue officielle de la Catalogne et est parlé par environ 8 millions de personnes. Bien que la plupart des gens que tu rencontreras à Barcelone parlent également le castillan (*castellano*), que nous appelons couramment l'espagnol, il est amusant de connaître quelques mots de catalan. D'autant plus que tous les panneaux indicateurs de Barcelone sont rédigés dans cette langue ! Tu verras, étrangement, le catalan est souvent à mi-chemin entre le français et le castillan.

LEXIQUE

FRANÇAIS	CASTILLAN	CATALAN
non	no	no
oui	si	si
salut	hola	hola
comment allez-vous ?	¿cómo está?	com està?
pardon	perdón – lo siento	perdoni
s'il vous plaît	por favor	si us plau
merci	gracias	gràcies
le matin	la mañana	el matí
l'après-midi	la tarde	la tarda
le soir	la noche	el vespre
hier	ayer	ahir
aujourd'hui	hoy	avui
demain	mañana	demà
ici	aquí	aquí
là	ahí	allà
grand	grande	gran
petit	pequeño	petit
quoi ?	¿qué?	què?
qui ?	¿quién?	qui?
quand ?	¿cuando?	quan?

où ?	¿ dónde ?	on ?
pourquoi ?	¿ porqué ?	per què ?
combien cela coûte-t-il ?	¿ cuánto cuesta ?	quant val ?
je ne comprends pas	no entiendo	no entenc
je ne parle pas espagnol	no hablo español	jo no parlo català
comment vous appelez-vous ?	¿ cómo se llama usted ?	com es diu ?
un	uno	un
deux	dos	dos
trois	tres	tres
quatre	cuatro	quatre
cinq	cinco	cinc
six	seis	sis
sept	siete	set
huit	ocho	vuit
neuf	nueve	nou
dix	diez	deu
vingt	veinte	vint
trente	treinta	trenta
quarante	cuarenta	quaranta
cinquante	cincuenta	cinquanta
soixante	sesenta	seixanta
soixante-dix	setenta	setanta
quatre-vingts	ochenta	vuitanta
quatre-vingt-dix	noventa	noranta
cent	cien	cent
mille	mil	mil

UN PEU D'HISTOIRE

Les Catalans sont les héritiers de l'une des plus anciennes cultures d'Europe et les Barcelonais sont fiers du riche passé de leur ville.

On dit qu'Hercule, le dieu grec, aurait fondé Barcelone, entre deux travaux. On sait par ailleurs qu'entre -2000 et -1500 avant Jésus-Christ, le territoire européen était occupé par des peuples celtes, y compris le territoire de la Catalogne actuelle. Pour t'aider à t'y retrouver, voici une brève chronologie, ponctuée de dates importantes dans l'histoire de Barcelone.

-240 Les Carthaginois chassent les Grecs de Catalogne et nomment la ville Barcino, en l'honneur de leur grand général, Hamilcar Barca.

-220 Hannibal, le fils d'Hamilcar Barca, abandonne la ville aux mains des Romains.

0 Naissance présumée de Jésus-Christ.

480 Chute de l'empire romain. Barcelone passe aux mains des Wisigoths, venus de l'est de l'Europe.

720 Conquête arabe. Les Maures, venus d'Afrique du Nord, chassent les Wisigoths.

800 Barcelone est reconquise par un Franc, Louis le Pieux, fils de Charlemagne, qui repousse les Maures vers le Sud.

1000 Barcelone abrite autour de 6000 habitants.

1137 Union de la Catalogne avec le royaume d'Aragon.

1340 Épidémie de peste noire.

1469 Mariage d'Isabelle de Castille et de Ferdinand d'Aragon.

1479 Annexion de la Catalogne et de Barcelone à l'Espagne.

1492 Christophe Colomb découvre l'Amérique.

1714 La langue catalane est interdite et la Catalogne perd son statut d'entité politique après une guerre civile entre les Catalans et les Castillans.

1888 Période de prospérité et d'effervescence. Exposition universelle de Barcelone.

1929 Exposition internationale de Barcelone. Création du métro.

1931 Proclamation de la République catalane ou *Generalitat*.

1936 Coup d'État militaire. Le général Francisco Franco prend le pouvoir. Guerre civile espagnole. Début d'une période de répression. Nouvelle interdiction pour les Catalans de parler leur langue.

1975 Mort du général Franco.

1977 La Catalogne retrouve un statut d'autonomie approuvé par référendum. Le catalan est proclamé langue officielle.

1992 Jeux olympiques de Barcelone.

2014 Visite de Juliette Bérubé.

201x Ta visite.

DE GRANDS PERSONNAGES

Antoni Gaudí (1852-1926)

Gaudí est le plus célèbre et le plus original des représentants du mouvement artistique catalan que l'on a appelé le « modernisme ». Architecte et artisan, il concevait la décoration intérieure et extérieure de ses constructions en même temps qu'il en créait les plans. Il portait une attention toute particulière aux menus détails. La pierre, le vitrail, la mosaïque de céramique et le fer forgé étaient ses matériaux de prédilection. Il est à l'origine de plusieurs des plus belles demeures du quartier Eixample, mais à partir de 1914, il a consacré le reste de sa vie à la célèbre basilique que l'on nomme la Sagrada Família (la Sainte Famille).

Pablo Picasso (1881-1973)

Né à Malaga, Pablo Ruiz y Picasso a neuf ans lorsqu'il dessine ses premiers croquis. Il est âgé de quatorze ans lorsqu'il s'installe avec sa famille à Barcelone où son père, professeur de dessin, a accepté un emploi à l'Académie des beaux-arts. Génie précoce, le jeune Picasso s'inscrit au cours supérieur en compagnie d'élèves beaucoup plus vieux que lui. Son style ne tarde pas à se distinguer de celui des autres peintres et sa carrière est exceptionnelle. En fait, il révolutionne littéralement la peinture. On peut admirer plusieurs de ses œuvres au Museu Picasso, situé dans la Ciutat Vella.

Joan Miró (1893-1983)

Peintre, sculpteur, graveur et céramiste né à Barcelone, Joan Miró est l'un des principaux représentants du mouvement artistique que l'on nomme le « surréalisme ». Réservé et timide, le jeune Miró commence par étudier le commerce avant d'embrasser une carrière artistique très prolifique. Son œuvre est colorée, gaie et imaginative. Ses sculptures et ses tableaux présentent des formes et des figures géométriques aux couleurs franches qui rappellent les dessins qu'exécutent les enfants.

QUESTIONNAIRE

1. L'année 1992 a été marquée par un grand événement à Barcelone. Lequel?

    a. L'Exposition universelle

    b. La visite du pape

    c. Les Jeux olympiques

    d. L'Exposition internationale

2. Trouve l'intrus parmi ces célèbres habitants de Barcelone.

    a. Antoni Gaudí

    b. Pablo Picasso

    c. Amedeo Modigliani

    d. Joan Miró

3. Sur quelle mer est situé le port de Barcelone?

    a. La mer Baltique

    b. La mer Méditerranée

    c. La mer Noire

    d. La mer Morte

4. Quel est le club de *fútbol* fétiche des Barcelonais ?

   a. Le Real Barcelona

   b. Le Camp Nou

   c. Le Barça

   d. Le Tibidabo

5. Avec quels navires Christophe Colomb a-t-il découvert l'Amérique ?

   a. Deux caravelles

   b. Trois drakkars

   c. Trois cargos

   d. Deux galères

6. La Catalogne a connu de nombreux envahisseurs. En voici une liste. Trouve l'intrus.

   a. Les Romains

   b. Les Wisigoths

   c. Les Maures

   d. Les Chinois

   e. Les Carthaginois

   f. Les Francs

7. Où les Barcelonais ont-ils l'habitude de danser la *sardana* le dimanche midi ?

   a. Devant la Sagrada Família

   b. Sur la Rambla

   c. Devant la Catedral

   d. Sur le perron de l'hôtel de ville

8. Dans quelle rue est située la Casa Milà (ou la Pedrera) de Gaudí?

    a. Passeig de Gràcia

    b. La Rambla

    c. Carrer de Maillol

    d. Plaça de Catalunya

9. Qui a peint le célèbre tableau intitulé *Guernica*?

    a. Antoni Gaudí

    b. Amedeo Modigliani

    c. Salvador Dalí

    d. Pablo Picasso

    e. Joan Miró

10. Que sont les *ametlles garrapyniades*?

    a. Une variété d'araignées que l'on trouve dans les souterrains

    b. Une friandise à base d'amandes

    c. Une sorte d'armure portée par les guerriers carthaginois

    d. Une variété de fleurs poussant dans le Parc de la Ciutadella

11. Quelle est l'origine du mot *rambla* qui vient de *ramla*, signifiant « torrent séché »?

    a. Arabe

    b. Grecque

    c. Romaine

    d. Chinoise

12. De quelle époque date la majorité des bâtiments du quartier que l'on nomme Barri Gòtic?

   a. De la Renaissance

   b. Du début du XXe siècle

   c. De la Préhistoire

   d. Du Moyen Âge

Réponses
en page 229

Ton carnet de visite

Date: _____ **Météo:** _____

Visites du jour: _____

_____

_____

_____

_____

Avec qui? _____

Tes impressions: _____

_____

_____

_____

_____

_____

_____

_____

_____

_____

_____

_____

_____

Date: _____ **Météo:** _____

Visites du jour: _____
_____
_____
_____
_____

Avec qui? _____

Tes impressions: _____
_____
_____
_____
_____
_____
_____
_____
_____
_____
_____
_____
_____
_____
_____
_____
_____

Date: _____ **Météo:** _____

Visites du jour: _____
_____
_____
_____
_____

Avec qui? _____

Tes impressions: _____
_____
_____
_____
_____
_____
_____
_____
_____
_____
_____
_____
_____
_____
_____
_____

Date: _____ **Météo:** _____

Visites du jour: _____
_____
_____
_____
_____

Avec qui? _____

Tes impressions: _____
_____
_____
_____
_____
_____
_____
_____
_____
_____
_____
_____
_____
_____
_____

Date: _____   **Météo:** _____

Visites du jour: _____
_____
_____
_____
_____

Avec qui? _____

Tes impressions: _____
_____
_____
_____
_____
_____
_____
_____
_____
_____
_____
_____
_____
_____
_____
_____
_____

Date: _____   **Météo:** _____

Visites du jour: _____

_____

_____

_____

_____

Avec qui? _____

Tes impressions: _____

_____

_____

_____

_____

_____

_____

_____

_____

_____

_____

_____

_____

_____

_____